EL LIBRO DE LA NAVIDAD

Jacobo de la Vorágine

EL LIBRO

DE LA

NAVIDAD

Eencuentro
Ediciones

© 2003 Ediciones Encuentro, S.A., Madrid
        Comunidad de Madrid. Consejería de Educación

© de la traducción, Alianza Editorial, Madrid

Fotomecánica: Perfil 4, Madrid

Impresión: Deva, Madrid

Encuadernación: Martínez, Madrid

ISBN 84-7490-682-2
        84-451-2431-5

Depósito legal: M-20151-2003

Ediciones Encuentro, S.A.
Cedaceros, 3-2º - 28014 Madrid - Tel. 91 532 26 07
www.ediciones-encuentro.es

NOTA DEL EDITOR

Jacobo de la Vorágine (h. 1228-1298) constituye, sin duda alguna, el autor que más fama y renombre adquirió en la Edad Media. Su *Leyenda Dorada* (del latín *legenda*, lo que se debe leer) se convirtió en la fuente principal de la iconografía cristiana hasta casi nuestros días. En sus 182 capítulos originales —a los que los copistas, bien por propia decisión, bien por encargo, fueron añadiendo otros durante años hasta los 243 que han llegado hasta nosotros— recoge, manifestando una erudición exhaustiva de los conocimientos en su época, cuanto se podía decir sobre las principales fiestas cristianas y sus protagonistas y reconociendo, cuando es preciso, la escasa o nula credibilidad que le merecen algunos de los hechos que relata.

Hemos querido seleccionar e ilustrar los textos de aquellos capítulos que conforman una «historia» de la Natividad de Jesucristo para acercar al lector español la belleza de un texto inigualable y poner de manifiesto hasta qué punto es imprescindible conocer la Edad Media cristiana para comprender nuestro mundo actual. Al lado de nuestra numeración de los capítulos hemos incluido entre paréntesis los de la edición completa para que resulte más fácil su localización.

La presente edición está basada en el texto fijado y publicado por el doctor Graesse en 1845. Para quien desee conocer la obra completa —lo que sin lugar a dudas recomendamos— deberá referirse a la excelente traducción —hecha directamente del original latino— de fray José Manuel Macías, O.P., publicada por Alianza Editorial en su colección Alianza Forma (nº 29-30).

Incluimos, como Apéndice, una de las primeras obras de teatro de la literatura castellana —junto al *Misterio de los Reyes Magos* y el *Misterio de Elche*—, que, precisamente, versa sobre la Navidad. Es *La Representación del Nacimiento de Nuestro Señor*, obra de Gómez Manrique (h. 1412-1491), noble castellano que influyó de modo importante en la política de su tiempo. *La Representación del Nacimiento de Nuestro Señor* fue compuesta probablemente en el monasterio de Calabazanos, del

que era superiora una hermana de Gómez Manrique. Su estructura nos indica que seguramente fue concebido como obra cantada.

Sólo nos resta agradecer a la propia Alianza Editorial la cesión del texto de la *Leyenda Dorada* para la edición presente y al lector la confianza que deposita en nosotros.

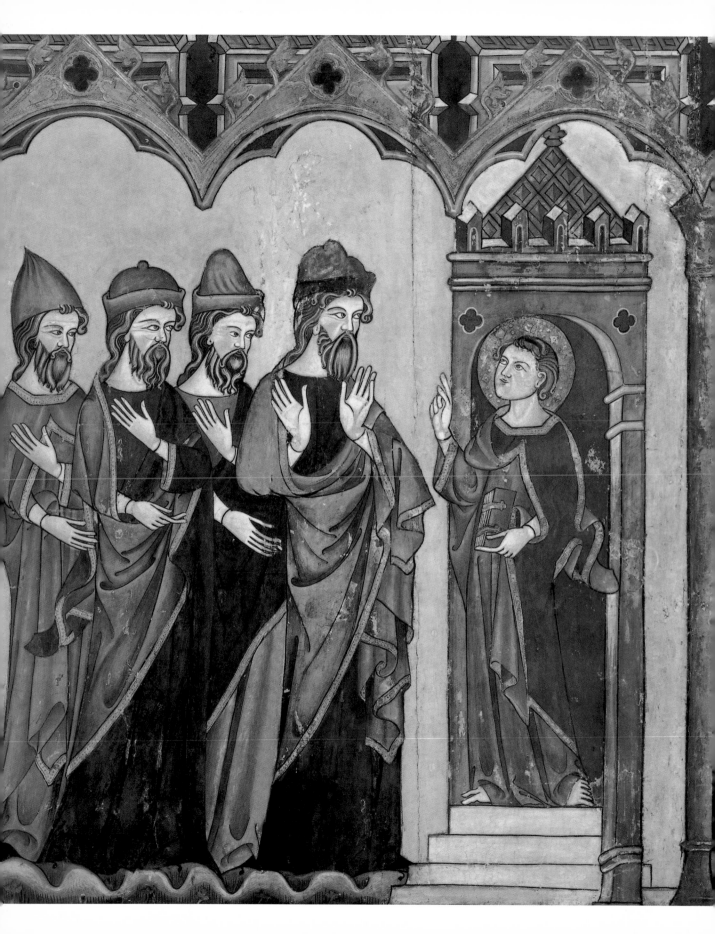

EL LIBRO DE LA NAVIDAD

SEGÚN

JACOBO DE LA VORÁGINE,

TAL Y COMO SE RELATA

EN LA LEGENDI DI SANCTI

VULGARI STORIADO

Y UN APÉNDICE

CON LA REPRESENTACIÓN

DEL NACIMIENTO

DE NUESTRO SEÑOR

PRÓLOGO (CCXXII)

SANTA ANA,
MADRE
DE LA VIRGEN
MARÍA

«Me habéis rogado, hijas de Jerusalén, me habéis pedido, hermanas amadísimas», escribe san Jerónimo, «que si en los libros griegos que manejo he encontrado o llegare a encontrar algo relativo a santa Ana, progenitora afortunadísima de la Teotocos, es decir, de la Madre de Dios, lo traduzca al latín para que redunde en honra y alabanza suya. Perdonad, virtuosas hermanas, que no haya cumplido inmediatamente vuestro encargo de poner en lengua latina los textos griegos sobre esta materia que la providencia de Dios ha hecho llegar a mis manos. Declároos que dada la importancia del tema reconozco que soy indigno de acometer una tarea tan delicada; porque delicada es la tarea que de mí habéis solicitado. Pero pidamos auxilio al cielo; elevad hacia lo alto, como Moisés, vuestros brazos para que con la ayuda de vuestras oraciones pueda llevar a cabo la misión que me habéis encomendado y ofreceros el fruto de mi trabajo. Se trata de un asunto de mucha importancia; vuestro deseo es muy laudable, porque santa Ana es el insigne árbol que produjo la rama en la que milagrosamente brotó después una yema divina. Esta dichosa criatura, modelo de esterilidad fecunda y de ingenuidad santa, merece toda nuestra veneración porque de su seno salió el pimpollo nacido de la raíz de Jesé. ¡Bendita entre las demás mujeres y bienaventurada entre las otras madres, puesto que de sus entrañas procedió la que fue Templo divino, Sagrario del Espíritu Santo,

Madre de Dios e iluminadora del mundo! ¡Cuán acertado su nombre de Ana!, porque Ana significa *gracia de Dios* y gracia de Dios es la denominación más adecuada para designar a la mujer que engendró a María, la *¡llena de gracia!*

Por todo esto, amadísimas hermanas, dediquemos en esta fiesta un gozoso recuerdo a santa Ana, madre de la Madre de Dios, la Bienaventurada Virgen María; dediquémosle un gozoso recuerdo en esta fiesta, porque en tal día como hoy su alma abandonó la cárcel del cuerpo y voló santamente a los cielos para alegrar con su presencia a los ángeles y a los santos. Tal día como hoy, en efecto, se incorporó feliz y gloriosa al coro de los patriarcas y de los profetas para vivir con ellos eternamente, ella que de ellos, a través de diferentes generaciones, había recibido un cuerpo elegido por Dios para que de él naciera la que había de engendrar al Redentor del mundo. ¡Alégrese, pues, la sacrosanta Madre Iglesia al sentirse protegida por los sufragios de tan excelsa matrona, y cante en su honor con devoción y exultante júbilo himnos de alabanza! Esta santa mujer es la tierra soberana y bendita con la que el celestial alfarero plasmó la olla de nuestra esperanza, es decir, formó a la Santísima Virgen María, que, fecundada a su vez por la lluvia del divino rocío, concibió en sus entrañas al Verbo de Dios y revestido de carne lo puso a disposición del género humano. ¡Norabuenas y parabienes a ti, oh madre feliz y

dichosísima entre las otras madres, porque tuviste el privilegio y la satisfacción de engendrar a una hija extraordinaria, instrumento de la infinita misericordia divina mediante el cual halló redención el cautivo, salud el enfermo, consuelo el triste, perdón el pecador, gracia el justo, alegría el ángel, gloria la Trinidad y naturaleza humana la persona del Hijo! Regocijémonos hoy todos en el Señor y pidamos a la madre de la Santa Madre de Dios que interceda por nosotros y que nos proteja con su auxilio. Al honrar a tan venerable matrona saltad de alegría, con el corazón henchido de gozo, vosotras, las que vivís en virginidad, y vosotras, las viudas. Cantad felices y jubilosamente en homenaje de tan excelsa señora, vosotras, todas las mujeres casadas, y vosotros, los hombres. ¡Regocíjese el mundo entero en esta festividad de santa Ana, porque de su seno nació la Virgen en cuyas entrañas se encarnó el Verbo de Dios!

En todas nuestras necesidades y peligros acudamos a todos, grandes y pequeños, con devoción a santa Ana y pidámosle que interceda ante su Hija para que ésta nos consiga el perdón de nuestros pecados».

En cierto lugar se lee lo siguiente: Un día la Purísima Virgen María Madre de Dios se apareció a un santo varón devotísimo y fidelísimo siervo suyo y le dijo: «Tú y otros muchos hombres y casi todos los cristianos me veneráis a mí por ser Madre de mi Hijo; pero ¡cuán pocos son los que tienen en cuenta que santa Ana es mi madre y que precisamente por eso, por ser mi madre, debe ser también venerada! Escucha, pues, atentamente lo que voy a manifestarte: si de veras deseas servirme y agradarme, honra desde hoy a mi dulcísima madre; dedícale todos los días algún obsequio espiritual; en prueba de tu devoción hacia ella celebra devotamente su fiesta todos los años». A partir de entonces y durante el resto de su vida el piadoso siervo de María fue fervorosamente devoto de santa Ana y cumplió lo que la Virgen le había recomendado.

¡Oh señora santa Ana! ¡Ya gozas y gozarás perpetuamente en el cielo de la eterna bienaventuranza! ¡Tú eres la única entre todos los santos de la gloria que puedes decir: «Esta que aquí véis coronada como Señora del mundo y Reina de la corte celestial elegida por Dios para Madre suya, es hija de mis entrañas!». Tú eres la única que puedes decir a los apóstoles: «Sois apóstoles y en cuanto tales príncipes, senadores y jueces del mundo; pero sois, por muy grandes que sean vuestros títulos, hijos de mi Hija».

Para demostrar nuestra devoción a esta santa podemos rezarle la siguiente oración: «¡Oh piadosa y humilde progenitora de María! Tú que disfrutas ya de la bienaventuranza y gozas de gran ascendiente ante el supremo Juez, muéstrate propicia con nosotros tus siervos que acudimos ante ti oprimidos por el poso de nuestros pecados y socó-

rrenos, oh ínclita madre, con tu intercesión para que vivamos pacífi-
camente! ¡Límpianos de aquí en adelante de las manchas que podamos adquirir en nuestra existencia terrena! ¡Que el Padre, el Hijo y el
Espíritu Santo se dignen con su divina clemencia concedernos lo que
tan encarecidamente te pedimos. Amén».

CAPÍTULO I (CXXXI)

LA NATIVIDAD
DE LA
BIENAVENTURADA
VIRGEN
MARÍA

oaquín, nacido en Nazareth, ciudad de Galilea, se casó con Ana, natural de Belén. Los dos eran justos; los dos se conducían irreprochablemente; los dos se mantenían fieles a la ley de Dios. Todos los años dividían sus ganancias y los frutos de sus cosechas en tres partes: una de ellas la entregaban a los ministros del templo para que la emplearan en el culto divino y en su propio provecho; otra, la repartían entre los pobres y los peregrinos; la tercera, finalmente, reservábanla para ellos como fuente de su sustento y del de su familia.

A los veinte años de casados, como aún no habían tenido descendencia y deseaban tenerla, ambos, de común acuerdo, hicieron un voto a Dios prometiéndole que, si se dignaba bendecir su matrimonio, consagrarían a su divino servicio la criatura que naciera. Para más urgir al Señor, los dos iban en peregrinación a Jerusalén en las tres fiestas principales de cada año. En una de esas ocasiones, concretamente en la solemnidad llamada de la Dedicación, cuando Joaquín, mezclado con otros hombres de su tribu con los que había hecho el viaje hasta el templo, iba a depositar su ofrenda, el sacerdote que había de recibirla la rechazó y con ademanes airados le obligó a alejarse del altar y a separarse de los demás oferentes, diciéndole con aspereza:

—¿Cómo tú, siendo estéril, te atreves a mezclarte con los fecundos? ¿Cómo no habiendo contribuido a la propagación del pueblo de Dios

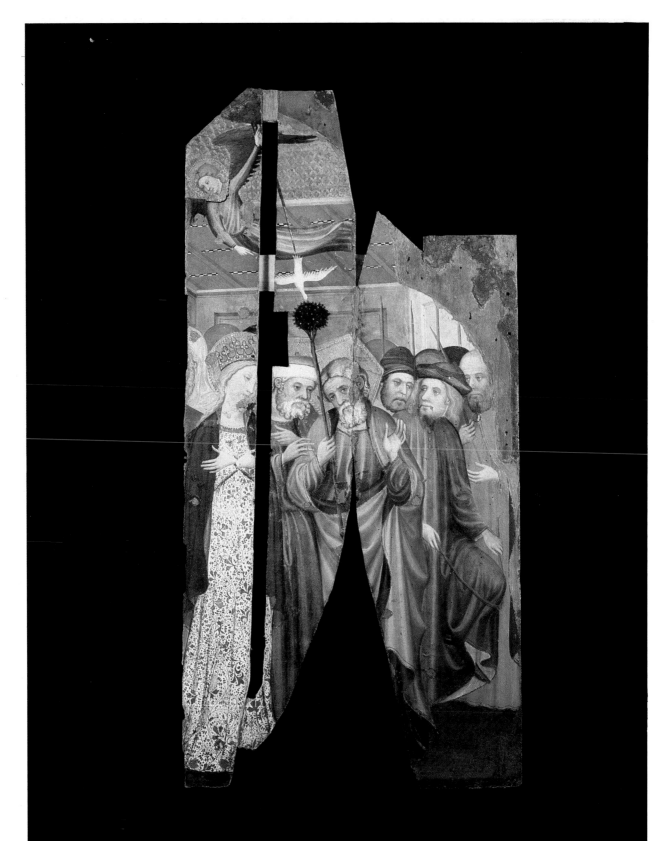

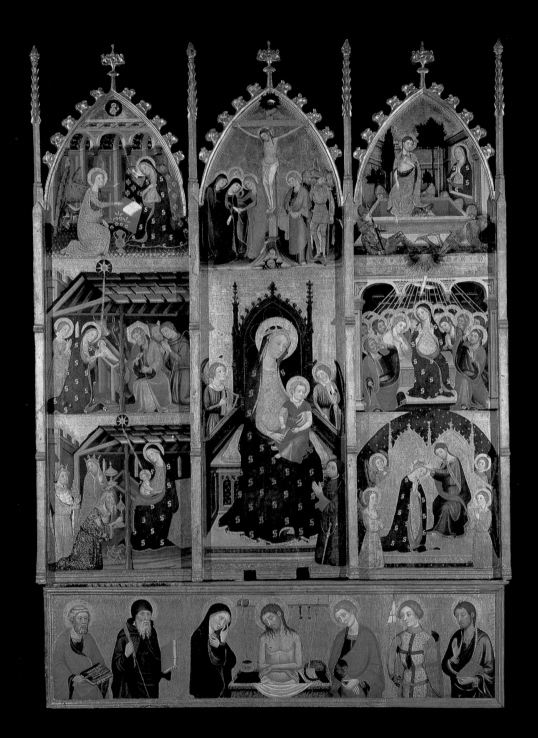

y estando, por tanto, incurso en la maldición de la ley, tienes la osa-
día de pretender ofrecer oblaciones al Señor de la ley?

Joaquín salió del templo tan confuso y avergonzado por la represión
de que había sido objeto ante tanta gente, que ni se atrevió a esperar
a los hombres de su tribu, cuya compañía deseaba evitar a causa de lo
ocurrido, ni a regresar a su casa, por lo cual huyó al campo y se fue a
vivir con los pastores a quienes tenía encomendada la custodia de sus
ganados. Un día, estando a cierta distancia de ellos, aparecióle un
ángel muy resplandeciente. Joaquín, al ver al aparecido, se turbó en
gran manera. El aparecido le dijo:

—No tengas miedo. Soy un ángel del Señor. Vengo a ti enviado por
Él para comunicarte que tus oraciones han sido oídas y que los méritos de las limosnas que distribuyes entre los pobres han llegado hasta
el cielo. Sé que estás avergonzado. La represión que recibiste en el
templo fue injusta. Tú no tienes la culpa de no haber tenido hijos.
Dios toma venganza del pecado pero no de la naturaleza de sus criaturas. Él, a veces, obstruye los canales de la fecundidad temporalmente; pero luego los deja correr para que produzcan su efecto.
Cuando obra así lo hace para poner de manifiesto que el hijo que
nace de esa fecundidad recuperada no es fruto de la concupiscencia,
sino de una providencia divina especial. Recuerda el caso de Sara,
aquella mujer de la que procede vuestro linaje: hasta los noventa años

padeció ante la gente la humillación de su esterilidad, y, no obstante eso, a tan avanzada edad concibió a Isaac y dio a Abraham el hijo de que Dios le había hablado cuando le prometió que de su descendencia nacería el que había de traer la bendición a todas las naciones del mundo. Recuerda el caso de Raquel: también ésta fue estéril durante mucho tiempo; pero luego engendró a José, el que años más tarde llegó a ser prácticamente el amo de toda la tierra de Egipto. ¿Quién más fuerte que Sansón? ¿Quién más santo que Samuel? Pues sus respectivas madres permanecieron estériles muchos años antes de concebirlos. Si reparas en esos ejemplos te resultará más fácil admitir que es verdad esto que te digo: que los hijos nacidos tardíamente de madres que durante cierto tiempo pasaron ante la gente por estériles, suelen ser personas notables. Ahora pon mucha atención porque voy a comunicarte algo muy importante: Ana, tu mujer, te dará una hija a la que cuando nazca pondrás el nombre de María. Fieles a lo que habéis prometido, la consagraréis a Dios desde su infancia. La niña nacerá ya llena del Espíritu Santo, pues habrá sido santificada en el seno de su madre, y, para que no pueda ser objeto de sospechas malignas, la aislaréis del trato y comunicación con las gentes de la calle, y desde pequeña la mantendréis recogida en el recinto del Templo. A este hecho ya de por sí admirable, de que tu hija nazca de madre estéril, seguirá más adelante otro mucho más admirable: de

ella nacerá un Hijo divino engendrado en sus entrañas por el Altísimo. Ese Hijo se llamará Jesús y a través de Él vendrá la salvación sobre el mundo entero. Voy a darte una garantía de que cuanto te estoy diciendo ocurrirá tal y como te lo digo: vuelve a Jerusalén; cuando llegues a la Puerta Dorada encontrarás allí a tu esposa Ana que, preocupada por tu ausencia, actualmente te anda buscando. Vuestro encuentro producirá en ella enorme alegría.

Dicho esto el ángel desapareció.

Efectivamente: Ana, al ver que el tiempo pasaba y que Joaquín no regresaba a donde ella había quedado aguardándole, se lanzó en su búsqueda; y como no lo hallaba ni sabía dónde podría estar, continuó buscándole día tras día, llorando amargamente, hasta que por fin el mismo ángel que se había aparecido a su esposo, momentos después de haber hablado con éste aparecióosele también a ella, comunicóle punto por punto cuanto a Joaquín acababa de anunciar y, por último, le dijo:

—Para que no te quede la menor duda de que cuanto te he dicho va a suceder, voy a darte una garantía: ve a la Puerta Dorada de la ciudad y quédate allí hasta que Joaquín llegue; porque en ese preciso lugar ocurrirá vuestro reencuentro.

Tal y como el ángel había prometido a ambos esposos, en la Puerta Dorada los dos se encontraron. ¡Qué inmensa alegría la de uno y otro al verse nuevamente reunidos! Tras comentar entre sí el anuncio que el enviado del Señor les había hecho, y dar gracias a Dios y adorar sus designios, Joaquín y Ana regresaron a su casa, y en ella, inundados de gozo, esperaron el cumplimiento de la promesa divina. La promesa se cumplió: Ana concibió; a su debido tiempo dio a luz y comprobó que la criatura era una niña. Conforme a la indicación del ángel, pusieron a la recién nacida el nombre de María. Tres años después, terminada la lactancia y concluida la etapa de los necesarios cuidados maternales, la Virgen fue llevada al Templo y ofrecida a Dios juntamente con otras oblaciones materiales.

El templo estaba edificado en la cima de un montículo. El altar de los holocaustos se hallaba en el exterior del recinto; para llegar a él había que subir quince gradas, cada una de las cuales se correspondía con cada uno de los quince salmos llamados *de los pasos,* o *graduales.* La tiernecita Virgen, a pesar de sus pocos años, subió por sí misma y sin ayuda de nadie los susodichos peldaños como si tuviese edad de persona adulta.

Terminado el ofrecimiento, Joaquín y Ana dejaron a su hija en el Templo incorporada al grupo de doncellas que en él moraban, y regresaron a casa. De día en día crecía la Virgen en santidad y virtudes asistida por los ángeles que diariamente la visitaban, y gozando cotidianas visiones divinas.

Dice san Jerónimo en una carta que escribió a Cromacio y a Heliodoro, que la Bienaventurada María se trazó a sí misma este plan: «Desde el amanecer hasta la hora de tercia, oración continua; desde la hora de tercia a la de nona, trabajo manual que consistía en tejer; a la hora de nona, reanudaba la oración y perseveraba en ella hasta que un ángel le traía la comida».

Catorce años tenía María cuando un día el pontífice reunió a las doncellas que se educaron en el Templo y les comunicó públicamente que todas las que en aquel momento hubiesen alcanzado ya la edad núbil tendrían que regresar a sus casas para desposarse con algún varón de su respectiva tribu. El aviso fue acogido con grandes muestras de alegría por cuantas se encontraban en tales condiciones. Únicamente la Virgen Bienaventurada puso en conocimiento del sumo sacerdote que ella no pensaba casarse, por dos razones: porque sus padres la habían consagrado vitaliciamente al Señor, y porque ella, por sí misma y voluntariamente, había hecho voto de vivir en perpetua virginidad. Perplejo quedó el pontífice al oír lo que María le decía. No sabía qué determinación tomar. Si aquella joven había hecho semejante voto, él no podía obligarle a que lo quebrantara, puesto que el Señor mandaba expresamente en la Escritura: «*Cumplid las promesas que hayáis formulado ante Dios*»; pero tampoco quería sentar precedentes que pudieran servir de ocasión para introducir costumbres contrarias a la constante tradición del pueblo de Israel. Como se avecinaba una de las fiestas de los judíos, el sumo sacerdote decidió someter aquel complicado asunto a la asamblea de los ancianos que durante los días de la aludida solemnidad iba a celebrarse. Los miembros del consejo, después de considerar la cuestión que el pontífice les expuso, convinieron en que ninguno de ellos estaba seguro de la solución que procedía dar a tan difícil problema, y acordaron por unanimidad pedir entonces mismo luces al Señor y suplicarle que por medio de alguna señal especial les diera a conocer el fallo que deberían emitir. Pusiéronse, pues, todos en oración y durante largo rato rogaron a Dios que los asistiese con sus divinas inspiraciones. Seguidamente, el sumo sacerdote pasó él solo al interior del oratorio para hacer oficialmente la consulta al Señor. Momentos después, cuantos se hallaban en el Templo oyeron una voz procedente del interior del oratorio que decía: «Todos los varones de la casa de David en edad de casarse y todavía no casados tomen sus bastones, acérquense al altar y pónganlos sobre la mesa de los sacrificios. Uno de esos bastones florecerá, y, conforme a la profecía de Isaías, sobre la flor que surja en uno de sus extremos se posará el Espíritu Santo. El dueño del bastón privilegiado deberá casarse con la virginal jovencita». Entre los que oyeron la misteriosa voz había un hombre de edad ya avanzada, llamado José, y de la casa de David; dados sus muchos años parecióle que él no podía ser el varón destinado para casarse con aquella doncella tan tierna que apenas había salido de la niñez; no obstante, también él se acercó al altar con los demás solteros de la casa de David, pero no colocó su cayado sobre la mesa del altar como hicieron los otros, sino que lo ocultó entre los pliegues de su manto. Ninguno de los báculos puestos sobre el ara de los sacrificios floreció. En vista de que no se había cumplido lo anunciado por el oráculo divino, el pontífice entró de nuevo en el oratorio para repetir la consulta al Señor, y al poco rato la misma voz de antes se oyó, y dijo: «Ese que no ha colocado su bastón sobre la mesa es el que está predestinado para casarse con la doncella». Entonces José, sintiéndose tan directamente aludido, puso su cayado sobre el ara de los sacrificios, e inmediatamente el cayado se irguió, floreció, y todos vieron cómo una paloma descendía de lo alto y se posaba sobre la flor recién surgida en el extremo superior de la vara. De ese modo Dios manifestó públicamente que José, dueño del bastón florecido, era el elegido por Él para que se casara con la Virgen.

Celebrados los esponsales de María y José, éste regresó a su ciudad de Belén donde vivía y comenzó a preparar lo necesario para la boda. María, por su parte, desde Jerusalén se fue a Nazareth, a casa de sus padres, acompañada de siete doncellas de su misma edad que habían ingresado en el Templo más o menos por cuando ella ingresó. Quiso el sumo sacerdote que estas siete jovencitas acompañaran a la Virgen para que dieran testimonio ante Joaquín y Ana de lo que había ocurrido, es decir, de los milagros del oráculo divino y de la vara florecida.

Poco después de que María llegara a Nazareth, apareciósele el ángel Gabriel mientras ella estaba en oración, y le anunció que de sus entrañas nacería el Hijo de Dios.

CAPÍTULO II (CCXXV)

SAN JOSÉ, ESPOSO DE LA VIRGEN MARÍA

s sumamente importante y provechoso para nosotros, pobres mortales y peregrinos de este mundo, profesar intensa devoción no sólo al eterno Dios, sino también a sus gloriosos santos, porque somos tan indigentes que, además de carecer absolutamente de méritos propios, estamos llenos de pecados mediante los cuales hemos quedado reducidos a la condición de reos y abocados a padecer suplicios. De ahí que necesitemos acogernos a la protección de los santos. Hemos de procurar hacerlo por las siguientes razones:

Primera. Porque Dios se complace en los méritos adquiridos por ellos y está dispuesto a tenerlos en cuenta y a concedernos cuanto por su mediación le pidamos. *«Recurre a algunos de los santos»*, se nos dice en el capítulo quinto del libro de Job.

Segunda. Porque al honrar a los santos honramos a Dios que mora con ellos. Quien reverencia a los santos reverencia expresamente al que los santificó mediante la inhabitación en sus almas por la gracia.

Tercera. Porque los santos, por sus virtudes y por la gloria de que gozan, se han hecho dignos de que los honremos con nuestra devoción. El filósofo, en el libro IV de la Ética, advierte: «El honor es un premio a la virtud; jamás honraremos suficientemente al varón plenamente virtuoso».

Debemos, pues, honrar a los santos, puesto que son virtuosísimos y gloriosísimos protectores espirituales nuestros, como se nos dice en el capítulo 7 de la cuestión XI, en donde leemos que quien no honra a su protector, patrono o padre espiritual, comete mayor pecado que si despreciara a su padre carnal.

Ahora bien, como san José es uno de los santos más gloriosos del paraíso, a quien el Señor concedió la singular y extraordinaria gracia de darle por esposa y poner bajo su custodia a su Santísima Madre, síguese que obraremos muy acertadamente, y ojalá así lo hagamos, si nos vinculamos a él por medio de una gran devoción.

Dios concedió a san José muchísimos privilegios, y entre ellos éstos: Primero. El de pertenecer, por nacimiento, a una estirpe nobilísima. Sabemos por el Evangelio que José descendía de la casa y familia de David.

En el capítulo primero de Mateo leemos: «*José, hijo de David: no temas tomar por esposa a María*». De esa misma casa de David había de descender en su día Cristo Jesús. Quien quiera conocer el proceso de esa generación, tenga en cuenta, como muy bien advierte Juan Damasceno, lo siguiente: que de la rama del profeta Nathán, hijo de David, descendió Melqui y que José era descendiente de Melqui en cuarto grado y en línea recta, como consta por el capítulo tercero del evangelio de san Lucas. Melqui fue, pues, abuelo del abuelo de José. Como Melqui tuvo un hermano llamado Panthera, que engendró a Barpanthera y éste a su vez engendró a Joaquín, padre de la gloriosa Virgen María, y como de la rama de Salomón, que también fue hijo directo de David, descendió Matán, abuelo de san José, puesto que Matán y su esposa fueron los padres de Jacob, y Jacob fue el padre de san José, síguese con toda claridad que, tanto la Bienaventurada Virgen María como su esposo san José, que ya antes de casarse estaban emparentados entre sí, eran de muy ilustre linaje, pues ambos procedían de la casa de David. Nobilísimo, por tanto, fue este ilustre esposo de María, puesto que, además de lo dicho, estuvo emparentado con otros muchos santos, entre ellos con Juan Bautista y con varios de los apóstoles de Nuestro Señor Jesucristo.

Segundo. El de ser expresamente elogiado en el Evangelio, en el que, hablando de él el evangelista, afirma que era *justo*. «*Como José era justo no quería denunciarla...*» (Mat. 1).

Los doctores católicos, comentando este pasaje, coinciden en declarar que para que una virtud sea verdaderamente virtud tiene que ser perfecta, y que casi siempre que en el Evangelio se habla de justicia, y desde luego en este caso, esta palabra debe ser tomada en el sentido de una óptima cualidad general que comprende en sí a todas las demás virtudes.

En el esposo de la Virgen podemos ver reunidas, sin lugar a dudas, las virtudes de casi todos los patriarcas y profetas. En él se dieron cita, por ejemplo, la pronta y fiel obediencia que practicó Abraham cuando le fue ordenado que sacrificase a su hijo queridísimo; la paciencia del otro José, hijo de Jacob; la humildad de David y la devoción de los padres más santos y de las mujeres más piadosas de quienes se hace mención en la Escritura.

Tercero. El de haber sido honrado con la aureola y la gloria de la virginidad.

San José fue elegido por Dios para que conservara perpetuamente su pureza virginal inmancillada, y correspondió a tal elección haciendo voto, de acuerdo con la Virgen Benditísima y juntamente con ella, de perfecta castidad. En relación con esto escribe san Jerónimo en su refutación a Helvidio: «Rica en gracia y hermosa y agradable fue la sociedad que formaron la Virgen Madre y su esposo José, elegidos ambos por el Espíritu Santo para que vivieran en matrimonio virginalmente, porque uno y otra amaban entrañablemente la castidad».

San Agustín, en su tratado sobre el bien conyugal, dice: «Si José no hubiese sido virgen, Dios no le hubiese dado en manera alguna por esposa a la Virgen su Madre; y esto, por una razón muy sencilla: porque si no hubiera sido virgen, hubiera podido atentar contra la virtud de María».

Cuarto. El de haber profesado un amor entrañable a la Bendita Virgen Nuestra Señora, y gozado del trato y conversación con ella.

Efectivamente, entre José y María existió un santísimo amor y se dio una convivencia no menos santa. Por regla general, como ya advierte el salmista, el que anda con santos se hace santo y el que anda con personas malas se pervierte y se hace malo. San José, al convivir con la Santísima Virgen María, Hija de Dios, se identificó de tal manera con ella, que si ella lloraba, lloraba él, y cuando ella se fue a Egipto, a Egipto se fue también el bienaventurado varón.

Otros muchos privilegios fuéronle concedidos, tales como el de gozar de dulcísimos consuelos, el de recibir visitas y mantener trato con los ángeles, el de su extraordinario poder de intercesión en favor de quienes acuden a él, porque todos cuantos devotamente le sirven, si le invocan y solicitan su auxilio, inmediatamente y sin lugar a dudas son atendidos por este glorioso santo que recurre sin demora a interceder ante Nuestro Señor Jesucristo por quienes a Él se encomiendan; y no es posible que Cristo, por su propio honor, niegue nada a quien según la ley fue su padre.

¡Oh glorioso san José, el más afortunado de los hombres! Suplicámoste que, juntamente con tu esposa, la Virgen Bendita, ruegues por nosotros, a fin de que podamos alcanzar el reino de los cielos. Amén.

CAPÍTULO III (LXXXVI)

LA NATIVIDAD
DE SAN JUAN
BAUTISTA

uchos son los nombres que se han utilizado para designar a san Juan Bautista. Este santo ha sido llamado Profeta, Amigo del Esposo, Lámpara, Ángel, Voz, Elías, Bautista del Salvador, Pregonero del Juez y Precursor del Rey. Con el nombre de Profeta se significa la prerrogativa del conocimiento; con el de Amigo del Esposo, la del amor; con el de Lámpara encendida, la de la santidad; con el de Ángel, la de la virginidad; con el de Voz, la de la humildad; con el de Elías, la del fervor; con el de Bautista, la de un honor excepcional; con el de Pregonero, la de la predicación, y con el de Precursor, la de la preparación del camino del Señor.

El nacimiento de Juan Bautista fue anunciado por un arcángel de la siguiente manera: Dice la *Historia Escolástica* que, queriendo el rey David dar mayor magnificencia al culto divino, instituyó veinticuatro sumos sacerdotes y determinó que uno de ellos ostentase el título de primer sacerdote y fuese presidente de los demás. Dispuso asimismo que, de los veinticuatro, dieciséis procediesen de la rama de Eleazar y los ocho restantes de la de Itamar, que cada uno de los veinticuatro ejerciese su ministerio durante una semana, y que se designase por sorteo el turno que se debería seguir.

Cuando en tiempos de David se hizo el primero de estos sorteos, la octava semana le correspondió a Abías. De este Abías descendía

Zacarías, que había llegado al igual que su mujer a una edad bastante avanzada sin tener hijos.

Pues bien, habiendo entrado Zacarías en el templo del Señor para ofrecer el incienso, y estando la multitud del pueblo fuera, esperando, se le apareció el arcángel Gabriel. Asustóse Zacarías al verle; pero el arcángel lo tranquilizó diciéndole: «*No temas, Zacarías; quiero que sepas que tu oración ha sido oída*».

Comenta la Glosa, y parece conveniente transcribir aquí su comentario, que es propio de los ángeles buenos tranquilizar en seguida con bondadosas consideraciones a quienes se asustan al recibir sus visitas; y que, por el contrario, cuando los espíritus malos se disfrazan de buenos y se aparecen a alguien y notan que el que recibe la aparición se turba, no sólo no consiguen serenarlo, sino que mientras dura la aparición la turbación del vidente crece, y éste va experimentando una sensación de horror cada vez más intensa y espantosa.

Prosigamos con la narración. Gabriel comunicó a Zacarías que iba a tener un hijo, que éste debería llamarse Juan, que el tal hijo no bebería ni sidra ni vino y que marcharía delante del Señor imitando el espíritu y la santidad de Elías.

La comparación de Juan con Elías y la designación del Bautista con el nombre de este profeta, están muy justificadas y se apoyan en fundamentos muy sólidos; si nos atenemos a los lugares en que vivieron, ambos moraron en el desierto; si reparamos en su sistema de alimentación, advertiremos que los dos fueron sumamente sobrios; igualmente, uno y otro se cuidaron muy poco de su atuendo, vistiendo muy austeramente; los dos realizaron un oficio parecido, el de precursores: Elías fue precursor del Juez, y Juan lo fue del Salvador; ambos ejercieron su ministerio con fervoroso celo: las palabras del uno y del otro eran ardientes y vivas, como llamas.

Considerando Zacarías su ancianidad y la esterilidad de su mujer, comenzó a dudar, y siguiendo en esto la costumbre de los judíos pidió al ángel alguna garantía; es decir, le indicó que le demostrara con alguna señal que todo cuanto le estaba anunciando iba a suceder verdaderamente. El ángel accedió a ello, y la garantía o señal que le dio para demostrarle que lo que le decía tenía carácter de vaticinio, fue dejarle mudo durante algún tiempo por haberse resistido a creer que lo que le anunciaba iba realmente a ocurrir.

Consideremos aquí que en épocas anteriores hubo algunos otros que también dudaron; pero sus dudas tuvieron cierto fundamento que les sirvió de excusa. Ese fundamento, unas veces fue la grandeza extraordinaria de lo que se les vaticinaba, como en el caso de Abraham; cuando el Señor prometió a este Patriarca que sus descendientes llegarían a poseer la tierra de Canaán, Abraham respondió: *«Señor Dios, ¿cómo podré estar seguro de que mis descendientes algún día poseerán esa tierra?»*. El Señor le respondió: «*Toma una vaca de tres años, etc.*». Otras veces la duda se fundó en la propia incapacidad, como cuando Gedeón objetó: «*Señor, ¿con qué medios cuento yo para librar a Israel? Mi familia es la más insignificante de todas las que proceden de Manasés, y yo soy el individuo más débil de mi familia*». Gedeón, reconociendo humildemente su inhabilidad para llevar a cabo la empresa que se le anunciaba, pidió a Dios una señal y Dios se la concedió. En otros casos la duda se fundó en determinadas imposibilidades naturales, como en el de Sara. Cuando Dios dijo a Abraham: «*Volveré a visitarte y Sara tendrá un hijo*», Sara, que estaba escuchando detrás de la puerta, se echó a reír y comentó: «*¿Cómo voy a tener yo un hijo si ya soy vieja y mi marido y señor no es menos viejo que yo?*».

Tras de considerar los anteriores ejemplos, podemos preguntarnos: ¿qué razón hubo para que sólo Zacarías fuese castigado por haber dudado, siendo así que su duda tenía, no ya meramente un fundamento parecido al de algunos de los mencionados, sino todos ellos a la vez? En efecto, a Zacarías se le anunciaba que iba a realizarse una cosa verdaderamente grande y extraordinaria; él era consciente de su propia insignificancia; sentíase indigno de tener un hijo tan eminente; a todo esto hay que añadir que parecía imposible que a su edad pudiera procrear.

Créese que fueron varios los motivos que justificaron esta excepción y que pudieron ser los siguientes:

Primero: Según Beda, fue castigado con la mudez, para que, ya que hablando había exteriorizado su incredulidad, callando aprendiera a creer.

Segundo: Quiso Dios dejarlo temporalmente mudo, para tener cuando naciera el hijo la oportunidad de manifestar su poder con un doble portento, puesto que al milagro de que unos padres tan ancianos engendraran una criatura, se unió otro aún mayor: el de devolver la facultad de hablar a quien la había perdido.

Tercero: Porque aquel enmudecimiento resultaba muy conveniente para dar a entender que, al nacer la nueva voz de la ley nueva, la voz de la ley antigua debería enmudecer.

Cuarto: Porque ya que había pedido un signo, un signo se le daba, y el signo fue que perdiera el habla.

Cuando Zacarías salió del templo y se presentó ante el pueblo, la gente advirtió que se había quedado mudo, y él, por señas, dioles a entender que dentro del santuario había tenido una visión.

Concluida la semana en la que ejerció su oficio, regresó a casa e Isabel concibió. Al notar que estaba encinta, ocultó su estado durante cinco meses evitando aparecer en público, porque, según san Ambrosio, le daba vergüenza que sus convecinos pudieran pensar que a su edad se entregaba todavía a expansiones libidinosas. Sin embargo, en su interior, sentíase contenta por haberse librado del oprobio de la esterilidad. No olvidemos que entre los judíos las mujeres casadas que no habían logrado engendrar eran mal vistas por una sociedad que celebraba las bodas con grandes festejos e inmenso regocijo, y que aceptaba con la mayor naturalidad que los esposos mantuviesen entre sí, durante su edad procreativa, relaciones carnales.

Cuando estaba Isabel en el sexto mes de su embarazo, la Bienaventurada María, que ya había concebido en su seno al Señor, vino, como virgen fecunda, a visitarla, con el fin de darle la enhorabuena por haber superado su esterilidad y para prestarle ayuda, puesto que, siendo vieja como era, y dado el estado en que se hallaba, la iba a necesitar. Al llegar a ella y saludarla, san Juan, lleno repentinamente del Espíritu Santo, al sentir ante él la presencia del Hijo de Dios, inundado de alegría se conmovió dentro del vientre de su madre. Con aquella conmoción gozosa homenajeó a quien no podía homenajear con palabras. No cabe duda de que tales movimientos fueron un saludo y un acto de acatamiento a su Señor. Tres meses permaneció la Santa Virgen en casa de su prima, sirviéndola y ayudándola. Ella fue quien cuando el niño vino al mundo lo recogió con sus manos, lo sacó a luz y, como dice la *Historia Escolástica*, hizo con él diligentísimamente el oficio de rolla o niñera.

El santo Precursor del Señor fue especial y singularmente ennoblecido con los nueve privilegios siguientes: un mismo ángel anunció el nacimiento del Salvador y su propio nacimiento; dio saltos de alegría en el seno de su madre; vino al mundo ayudado por la Madre de Dios; devolvió el habla a su padre; fue el primero que administró el bautismo; señaló con su dedo a Cristo; lo bautizó personalmente; fue públicamente alabado por el Señor; y, finalmente, anunció a los del Limbo que de allí a poco recibirían la visita de su liberador. Esos nueve privilegios justifican que Jesucristo, refiriéndose a él, dijera: *«Es profeta y más que profeta»*.

El Crisóstomo, comentando este encomiástico juicio emitido por el Señor acerca de Juan, escribe: «La naturaleza de la profecía implica que el profeta reciba de Dios el don profético; pero ¿implica acaso que el profeta bautice a Dios? Propio del oficio profético es que el profeta profetice cosas relativas a Dios; pero ¿es propio de ese oficio que Dios profetice cosas relativas al profeta? Todos los profetas vaticinaron sobre Cristo, pero nunca nadie hizo vaticinios acerca de ellos; Juan, en cambio, no sólo vaticinó sobre Cristo, sino que fue objeto de proféticos anuncios por parte de otros de su mismo oficio. Todos los demás profetas fueron transmisores de palabras que una voz ajena pronunciaba a través de ellos; Juan, empero, transmitió palabras pronunciadas por su propia voz, porque así como la voz está en contacto inmediato con la palabra sin ser ella palabra, así Juan estuvo en inmediato contacto con Cristo, sin ser él el Cristo».

En san Juan, escribe san Ambrosio, se dieron cinco características muy peculiares que nos mueven a tenerle en muy alto concepto: los antepasados que tuvo, los milagros que en torno a su nacimiento ocurrieron, la conducta que observó, las gracias que recibió y la misión que le fue encomendada.

CAPÍTULO IV (LI)

LA ANUNCIACIÓN
DEL SEÑOR

Desde los tres años de edad hasta los catorce vivió la Virgen bendita en el templo, en compañía de otras doncellas. Había hecho voto de perpetua castidad condicionalmente, es decir, sometiendo la validez y vigencia del mismo al divino beneplácito. Dios, por medio de una revelación y del florecimiento de su vara, hizo saber a José que debería tomar a María por esposa. Todo esto se halla referido más extensamente en la historia de la Natividad de Nuestra Señora. José, tras de conocer la divina voluntad, marchó a Belén, de donde era oriundo, para disponer lo necesario en orden a las futuras nupcias, y María volvió a Nazareth a casa de sus padres porque, como advierte san Bernardo, el Señor había determinado que *la flor se engendrase de otra flor, en la flor y en tiempo de flores*.

En Nazareth, pues, se apareció el ángel a María y la saludó de esta manera: «*Dios te salve, llena de gracia, el Señor es contigo, bendita entre todas las mujeres*».

A propósito de esto escribe san Bernardo: «El ejemplo de Gabriel nos invita a saludar a María, y el salto de gozo que dio Juan en el seno de su madre constituye un estímulo para que busquemos la riqueza que produce en el alma la repetición de esas palabras de la salutación angélica».

Antes de seguir adelante podemos preguntarnos: ¿Por qué quiso el Señor que la que iba a ser su Madre estuviera casada? Por tres razones, viene a decir san Bernardo, quien a la anterior pregunta responde del modo siguiente: «Fue muy conveniente que María se casara con José porque de esa manera, por una parte, el hecho de la Encarnación permanecía oculto a los demonios; por otra, porque así el esposo podía dar testimonio de la virginidad de María; y, finalmente, porque mediante el matrimonio se salvaguardaba el decoro y buen nombre de la Virgen». Pero hay una cuarta razón que puede añadirse a las tres anteriores, ésta: para librar a la mujer en cualquiera de sus estados, a saber, de soltera, casada y de viuda, del oprobio que pesaba sobre su sexo; por eso precisamente quiso Dios que María pasase por esos tres estados. Y podemos añadir un quinto motivo: para que contase con la protección de su esposo. Y uno más: para prestigiar la institución matrimonial. Y todavía otro: para establecer a través del marido la genealogía legal y oficial del hijo.

Dijo, pues, el ángel a María: *«Dios te salve, llena de gracia»*. Comentario de san Bernardo: «Llena de la gracia de la divinidad en su vientre; de la gracia de la caridad en su corazón; de la gracia de la afabilidad en su boca; de la gracia de la misericordia y de la generosidad en sus manos... Verdaderamente llena; y tan llena, que de su plenitud reciben todos los cautivos redención; los enfermos salud; los tristes consuelo; los pecadores perdón; los justos santidad; los ángeles alegría; la Trinidad gloria, y el Hijo del hombre la naturaleza de su humana condición».

«El Señor es contigo». Contigo el Señor en cuanto Padre, que es quien engendra eternamente al que engendras en tu seno; contigo el Señor en cuanto Espíritu Santo, por cuya virtud concibes; contigo el Señor en cuanto Hijo, al que revistes con tu propia carne.

«Bendita entre todas las mujeres». Según san Bernardo esto quiere decir: «Bendita sobre todas y más que todas las mujeres, puesto que tú eres Virgen, Madre y Madre de Dios».

Las mujeres estaban sometidas a una de estas tres maldiciones: o de oprobio, o de pecado o de suplicio. La de oprobio afectaba a las que no tenían hijos; en ese caso había estado, por ejemplo, Raquel, quien a ella se había referido cuando dijo: *«El Señor me ha librado del oprobio en que me hallaba».* La de pecado alcanzaba a las que concebían: ese es el sentido de estas palabras del salmo 50: *«Mira que en maldad fui formado y en pecado me concibió mi madre».* La de suplicio recaía sobre las parturientas, quienes, como se advierte en el Génesis, *«parirán con dolor».*

Bendita fue y es María entre todas las mujeres y sobre todas las mujeres, porque solamente ella estuvo exenta de esas tres maldiciones: en su virginidad no hubo oprobio, puesto que concibió sin detrimento de su integridad; en su concepción no sólo no hubo pecado, sino que, por el contrario, concibió en santidad; ni hubo suplicio en su parto, puesto que parió, no ya sin dolor, sino con inefables transportes de alegría.

Con razón fue María llamada *llena de gracia*, porque, como observa Bernardo, en su alma se dieron cuatro plenitudes, a saber: plenitud en su humilde devoción, en su santísima pureza, en su fe sin límites y en la inmolación de su corazón.

Con razón también pudo decir el ángel: «*el Señor es contigo*», porque la presencia del Señor en su alma se acreditó sobradamente, dice el mismo san Bernardo, con los cuatro portentos celestiales de que María fue objeto: la santificación de su ser, el saludo del ángel, la intervención del Espíritu Santo y la Encarnación del Hijo de Dios.

Con razón, igualmente, fue proclamada «*bendita entre todas las mujeres*», puesto que, como el citado san Bernardo nota, Dios concedió a su cuerpo estos cuatro privilegios: virginidad absoluta, fecundidad sin corrupción, preñez sin molestias y parto sin dolor.

«Ella se turbó al oír estas palabras y trató interiormente de averiguar el significado que pudiera tener cuanto el ángel le estaba diciendo».

Este texto del Evangelio constituye un elogio del comportamiento de la Virgen, de la atención con que escuchó al ángel, de las disposiciones internas de su ánimo y del discurso de su pensamiento. El evangelista pondera la modestia con que acogió aquel mensaje, oyendo y callando, el pudor de sus sentimientos y la prudencia de su mente, puesto que, razonando, trató de buscar explicación a lo que el ángel le decía.

La turbación de su ánimo procedió, no de ver al angélico mensajero —estas criaturas celestiales éranle ya conocidas, porque con anterioridad habíalas visto muchas veces—; provino de oír lo que estaba oyendo, porque hasta entonces nunca había oído cosas semejantes. Acerca de esta turbación, he aquí lo que escribió Pedro de Ravena: «No se impresionó María por ver al ángel, que se presentó ante ella bajo una apariencia dulce y normal, sino por el extraño contenido de su mensaje. La turbación llegó a su alma, no a través de los ojos del cuerpo, puesto que lo que veía era muy agradable, sino a través de los oídos, en cuanto que lo que estaba oyendo resultábale inaudito». Por su parte, san Bernardo comenta: «Turbóse por su pudor virginal, pero no se alarmó, porque era mujer de notable fortaleza, ni se asustó, sino que calló, y en silencio reflexionó, dando pruebas de admirable prudencia y suma discreción».

«El ángel le dijo: No temas, María, porque has hallado gracia delante del Señor». «Has hallado», dice san Bernardo, «la gracia de Dios, la paz para los hombres, la destrucción de la muerte y la restauración de la vida».

«Concebirás en tu seno y darás a luz un hijo a quien pondrás el nombre de Jesús, que quiere decir Salvador, porque Él salvará al pueblo de sus pecados; ese hijo será grande y llamado Hijo del Altísimo». «Las anteriores palabras», comenta san Bernardo, «quieren decir: este Hijo, que ya es grande en cuanto Dios, será también grande en cuanto hombre, grande en cuanto doctor y grande en cuanto profeta».

Dijo María al ángel: ¿Cómo podrá ser esto si yo no conozco varón?». ¿Cómo podrá ocurrir todo cuanto dices si yo me he comprometido a no tener contacto carnal con hombre alguno? Mediante tales palabras María declara que era Virgen en su alma, en su cuerpo y en sus propósitos con relación al futuro.

Obsérvese que María pregunta. Quien pregunta es que tiene alguna duda; luego dudaba. Y si dudaba, ¿cómo se explica que no incurriera en parecida penalización a la que se impuso a Zacarías, de quien sabemos que por sus dudas fue castigado con la pena de quedarse mudo? Pedro de Ravena responde a esta cuestión de la siguiente manera, y observemos que en sus palabras se contienen, no una, sino hasta cuatro respuestas: «Aquel que sabe escrutar el fondo de los hombres, no se guía tanto por el sonido de los vocablos cuanto por lo que se ve en el fondo de los corazones; del mismo modo juzga a los pecadores no a tenor de lo que digan, sino ateniéndose a lo que sienten. La razón que movió a ambos interrogadores a formular sus preguntas fue diferente en cuanto a su origen y en cuanto a su alcance. María admitió sin vacilación algo que parecía ir contra naturaleza; Zacarías, en cambio, no admitió, sino que dudó de algo y fundó su duda precisamente en una circunstancia que no iba realmente contra la naturaleza. María, al preguntar, trató de conocer cómo sucedería lo que se le anunciaba, mientras

que Zacarías, sin más, descartó la posibilidad de que se realizara lo que Dios había determinado que sí se realizase. Este hombre, a pesar de que ya con anterioridad habían ocurrido casos semejantes, se obstinó en calificar de imposible lo que sí era posible. María, por el contrario, aun sabiendo que nunca había ocurrido nada parecido a lo que el ángel le comunicaba, tuvo fe en el poder divino. María se limitó a mostrarse admirada ante el anuncio de que una virgen iba a ser madre; cosa muy distinta de la actitud de Zacarías, que puso en tela de juicio la posibilidad de que una relación conyugal de él con su esposa diera resultado positivo. María, pues, no abrigó dudas acerca de la viabilidad del mensaje angélico, sino que trató de conocer el procedimiento mediante el cual ella llegaría a ser madre; su pregunta fue muy razonable, ya que a la maternidad se puede llegar por tres caminos diferentes: el de la concepción natural o normal, el de la concepción espiritual y el de la concepción milagrosa; ella, al preguntar, procuró informarse acerca de cuál de ellos iba a seguirse en su caso».

«El ángel le contestó: *El Espíritu Santo vendrá sobre ti*». Es decir: El divino Espíritu, en virtud de recursos sobrenaturales hará que concibas un hijo. Por eso se dice que Jesucristo fue concebido por obra y gracia del Espíritu Santo; y se dise así y se dice bien, por las siguientes cuatro razones:

Primera. Para manifestar con esta expresión la eximia caridad divina, ya que el Verbo de Dios se hizo hombre impulsado por el inefable amor que tenía al género humano, como se nos declara en el capítulo tercero del evangelio de san Juan: «*Tanto amó Dios al mundo, que le dio a su Unigénito Hijo*». Esta primera razón adúcela el Maestro de las Sentencias.

Segunda. Para poner en claro que la Encarnación fue obra divina totalmente gratuita, es decir, no exigida por méritos precedentes de los hombres. Por eso expresamente se afirma que el Verbo fue concebido por obra y gracia del Espíritu Santo. Este segundo argumento es de san Agustín.

Tercera. Para subrayar con toda claridad que la concepción de Cristo se efectuó de manera absolutamente sobrenatural, mediante una acción del poder divino y sin intervención de varón. Esta tercera razón está tomada de san Ambrosio.

Cuarta. Para declarar que la concepción de un ser humano debe ser obra del amor. Este cuarto argumento, aducido por Hugo de San Víctor, lo expone este autor mediante las siguientes palabras: «El motivo de la concepción natural es el amor del hombre hacia la mujer y de la mujer hacia el hombre. El corazón de la Virgen ardía de caridad hacia el divino Espíritu, y en correspondencia, el divino Espíritu obró en el cuerpo de ella tan inefable maravilla».

«*La virtud del Altísimo te cubrirá con su sombra*». La Glosa comenta: «Ordinariamente la sombra procede de un cuerpo que se interpone en el camino de la luz. La Virgen, por ser una criatura de la humana especie, no podía, de suyo, recibir la plenitud de la divinidad. *La virtud del Altísimo te cubrirá con su sombra* quiere decir que la luz incorpórea de la divinidad asumió en María un cuerpo humano, y, como en ese cuerpo humano asumido estaba Dios, a través de ese cuerpo asumido por Dios recibió María la plenitud de la divinidad». Este parece ser el sentido de un texto de san Bernardo en el que este santo doctor dice: «Como Dios es espíritu y nosotros somos algo así como una sombra de su ser, tomó un cuerpo semejante al nuestro para que mediante ese cuerpo asumido por Él pudiéramos ver al Verbo en la carne de modo parecido a como vemos el sol en la nube, la luz en la lámpara o la candileja en el farol». El mismo Bernardo, comentando el diálogo de la Virgen con el ángel, escribe: «Jesucristo, virtud de Dios, cubrirá con su sombra, o lo que es igual, ocultará en lo más recóndito de su ser, ese modo según el cual vas a concebir por obra del Espíritu Santo. El procedimiento será tan misterioso que sólo Dios y tú lo conoceréis. Es como si el ángel le hubiera dicho: ¿Por qué me preguntas algo que vas a conocer inmediatamente por experiencia? Lo sabrás; lo sabrás; felizmente lo sabrás, ilustrada por quien es no solamente Maestro, sino autor e inventor del procedimiento. Yo he venido a anunciar tu

concepción virginal, no a realizarla. También eso de *'te cubrirá con su sombra'* pudiera tener significado: Él evitará que se produzca en ti movimiento alguno de concupiscencia».

«He aquí que Isabel, tu pariente, etc.»... El ángel dice: *«He aquí»*, como si tratara de dar a entender que algo insólito acababa de ocurrir o había ocurrido hacía poco tiempo.

En opinión de san Bernardo hubo cuatro razones para que el ángel anunciara a María que Isabel estaba encinta: Primera, para aumentar su alegría; segunda, para darle conocimiento del hecho; tercera, para convertirla en maestra de doctrina; y cuarta, para que tuviera ocasión de ejercitar su misericordia.

En relación con la noticia dada por el ángel a María escribe Jerónimo: «Se hace saber a María que su pariente, estéril, había concebido, para que milagro sobre milagro produjese alegría sobre alegría; o acaso también por la conveniencia de que, antes de que tal hecho se hiciese público y se divulgase por todas partes y llegase a conocimiento de la Virgen a través de otras personas, se enterase ella directamente por el ángel, a fin de no dar lugar a que la Madre de Dios, cual si fuese ajena a las cosas de su Hijo, permaneciese ignorante de algo que le atañía muy de cerca y que acababa de ocurrir en un lugar no lejano. Puede que también para que, conociendo la concatenación existente entre la concepción del precursor y la del Salvador, andando el tiempo, ella, con garantías de fidelidad, pudiera explicar a escritores y predicadores las relaciones entre ambos hechos y las circunstancias en que uno y otro ocurrieron. O, tal vez, para que al enterarse de que su pariente, de edad avanzada, estuviera encinta y decidirse ella, tan jovencita, a ir a prestarle ayuda, diera ocasión al pequeño profeta, aún no nacido, de rendir homenaje a su Señor y de que a un milagro se siguiera otro todavía más maravilloso».

Tras de hacer suyos estos puntos de vista de Jerónimo, Bernardo añade: «¡Oh Virgen! ¡Da tu respuesta en seguida! ¡Oh Señora! ¡Di presto una palabra y recibe en tu seno al que es la Palabra! ¡Pronuncia la tuya y concibe la divina! ¡Emite la transitoria y admite la eterna! ¡Levántate! ¡Corre! ¡Vuela! ¡Abre la puerta! ¡Levántate con fe, corre con generosidad, abre con tu consentimiento!».

Seguidamente María, extendiendo sus manos y levantando los ojos hacia el cielo respondió al ángel: *He aquí la esclava del Señor; hágase en mi según tu palabra*. «Suele decirse», describe san Bernardo, «que la palabra de Dios llegó hasta la boca de unos, hasta el oído de otros, e incluso a influir en las obras de algunos; pero en el caso de María llegó esa palabra divina a sus oídos a través de la salutación angélica; a su boca por la confesión; a sus manos por el contacto; a su vientre por la Encarnación; a su seno por la sustentación, y a sus brazos por la oblación».

«Hágase en mi según tu palabra».

«Con esta respuesta», comenta san Bernardo, «María quiso decir: Venga a mí esa palabra de Dios, no como vocablo que se pronuncia y se oye, no en sentido alegórico, no como sueño imaginario, sino como inspiración silenciosa, como encarnación personal, como generación realizada en mis entrañas».

Inmediatamente la Virgen concibió en su seno al Hijo de Dios en cuanto Dios verdadero y en cuanto verdadero hombre, y desde aquel preciso momento en el recién engendrado existió la plenitud de sabiduría y de poder que tuvo hasta sus treinta años.

«Seguidamente María marchó a la montaña, a casa de Isabel, y, al saludarla, Juan se estremeció de gozo en el seno de su madre».

La Glosa añade: «Como Juan no podía hablar, manifestó su alegría con señales de regocijo y de esta manera inició su oficio de Precursor».

Tres meses permaneció la Virgen en casa de Isabel, dedicada a su servicio; y, cuando el niño nació, ella fue quien con sus propias manos lo recogió y lo puso en el mundo, como asegura el *Libro de los Justos.*

A través de los siglos, el mismo día en que se celebra esta fiesta, hizo Dios que ocurrieran otras muchas y grandes cosas. Algunas de ellas están recogidas en los excelentes versos que siguen, compuestos por cierto poeta:

«Salve, justa dies, quae vulnera nostra coerces!
Angelus est missus: est passus in Cruce Christus!
Est Adam factus et eodem tempore lapsus.
Ob meritum decimae, cadit Abel fratris ab ense.
Offert Melchisedech, Isaac supponitur aris.
Est decollatus Christi Baptista beatus,
Et Petrus erectus, Jacobus sub Herode peromptus.
Corpora sanctorum cum Christo multa resurgunt.
Latro dulce tamen per Christum suscipit. Amen!».

«Salve, santo día, remedio de nuestros males,
fecha de muchas cosas, ya buenas, o ya fatales
En tal día como éste el Angel fue enviado,
y Cristo crucificado,
y Adán, creado por la mañana,
cayó por la tarde en pecado al comer de la manzana;
y Abel, en la ofrenda de sus diezmos generoso,
murió a manos de su hermano envidioso.
También en este día Melquisedech su sacrificio ofreció;
e Isaac, para ser inmolado, al monte Moria subió.
En esta fecha igualmente degollado
el Bautista de Cristo, Juan el bienaventurado;

y Pedro, arrepentido, lloró;
y Santiago, por orden de Herodes, pereció;
y, al morir Cristo en la Cruz,
muchos muertos, dejando sus sepulcros, volvieron a la luz;
y *Dimas, el buen ladrón,*
recibió de Jesús el dulce perdón».

CAPÍTULO V (CXCV)

LA VISITACIÓN
DE LA BIENAVENTURADA
VIRGEN MARÍA
A ISABEL

El Señor ha dispuesto que todas las cosas de la creación hayan quedado sometidas a la sabiduría, prudencia, solicitud y gracia de esta Señora. ¿Quién es la gobernadora de este mundo y de las fuerzas terrenas? ¡María! ¿Quién es la Madre de la misericordia y la soberana administradora del perdón y de la indulgencia? ¡María! ¿Quién es la abogada de los pecadores? ¡María!

A la vista de estas prerrogativas, el pontífice de Roma Urbano VI, profundamente afligido por el cisma que durante su pontificado desgarraba la unidad de la Iglesia, y considerando con la perspicacia de su fina inteligencia que Dios había constituido a la Santísima Virgen en poderosísima protectora de los infelices pecadores, en habilísima restauradora de la concordia entre los disidentes y en visitadora diligentísima de cada uno de los fieles, este pontífice romano, digo, para impetrar de tan poderosa Señora la gracia de que el cisma terminara, dispuso piadosamente que la fiesta de la Visitación de María a Isabel, de tan rico contenido por las estupendas cosas que durante aquella visita ocurrieron, se celebrara en adelante, no inmediatamente después de la de la Anunciación, como hasta entonces se venía haciendo debido a que ambos hechos ocurrieron uno a continuación del otro, sino en otra fecha distinta y fuera del tiempo cuaresmal. Esta decisión fue acertada, porque así se sacaba de la cuaresma, ciclo luctuoso enteramente dedicado por la Iglesia a la conmemoración de los tristísimos acontecimientos de la Pasión de Cristo, esta fiesta que en el marco cuaresmal no podía ser celebrada con la solemnidad y alegría requeridas por el maravilloso episodio de la Visitación. Por eso, para que los fieles pudiesen alabar y honrar con la magnificencia debida a la gloriosa y Santísima Virgen Nuestra Señora en el misterio de su Visitación, el piadoso papa Urbano VI dispuso que en adelante esta festividad se celebrase en todos los templos de la cristiandad a continuación de la octava de la Natividad de san Juan Bautista, y que, a lo largo de los ocho días siguientes al de la Visitación, se hiciese memoria de tan venturoso misterio. Más todavía hizo este Papa, puesto que, para promover debidamente entre los creyentes la devoción hacia la Visitación de María a Isabel, y para excitar en sus corazones un profundo amor y filial afecto a la Santísima Virgen, determinó que todos cuantos devotamente celebrasen la mencionada festividad con su octava y se confesasen y arrepintiesen de sus pecados, pudiesen lucrarse del beneficio de ciertas limosnas materiales que en determinadas ocasiones se repartían en los templos, otro beneficio superior, consistente en gracias espirituales, es decir, en las indulgencias que a cargo del tesoro místico de la Iglesia ésta tenía concedidas de antemano y para siempre a quienes tomasen parte en la festividad del *Corpus Christi*.

Un ángel anunció a María que había hallado gracia ante el Señor y que el Hijo de Dios iba a encarnarse en su seno para salvar a todos los pueblos. Ella creyó fielmente, y tan pronto como formuló este acto de fe, concibió en sus entrañas al Verbo divino.

Agradeció María al Señor el beneficio que acababa de hacerle, y como supo por el ángel que Isabel, su pariente, hallábase preñada desde hacía seis meses, movida por la piedad y caridad de su corazón, púsose en seguida en camino hacia Jerusalén para felicitar a su prima y para prestarle su ayuda y servicios. He aquí lo que a este respecto dice expresamente la Escritura: «*Púsose María en camino y con presteza se fue a la montaña, a una ciudad de Judá y entró en casa de Zacarías y saludó a Isabel*».

María, pues, se fue con presteza a la montaña. Pudo hacer el camino sin errar, porque un ángel la guió durante el trayecto y el Espíritu Santo, suavemente, vivificó e inflamó su alma y condujo sus pasos a través de las abruptas alturas de los montes, sobre cuyas cimas pasó ella alegre, gozosa, con la agilidad de los pájaros, confiando plenamente en el Señor, soportando de buen grado las incomodidades de los ásperos senderos, evitando las conversaciones con las gentes con quienes se encontraba en los terrenos llanos, y sintiendo vivos deseos de llegar cuanto antes a Jerusalén cada vez que desde la altura de las colinas divisaba en la lejanía las lomas que rodeaban a la ciudad o que le servían de asentamiento. Cuando llegó a ella, ni se detuvo ni se entretuvo con nadie, sino que procurando pasar inadvertida continuó su viaje acelerando el paso, porque deseaba estar cuanto antes en aquella otra población de Judá para que el precursor del Señor, Juan, todavía dentro del seno materno, quedase santificado lo más pronto posible; esa santificación contribuiría a que también cuanto antes se supiese en la localidad que el Mesías, Cristo, habíase ya encarnado y a que la noticia volase rápidamente desde allí hasta los últimos confines de la tierra, y a que comenzasen a desvelarse una serie de augustos misterios.

Entró María en casa de Zacarías y saludó a Isabel. Observa cómo se acercó la superior a la inferior, la Señora a la sierva, la Reina del cielo y de la tierra a la súbdita y esclava. Considera las alabanzas que en aquella visita resonaron en casa de Isabel y las que María tributó al Señor.

CAPÍTULO VI (VI)

LA NATIVIDAD DE NUESTRO SEÑOR JESUCRISTO SEGÚN LA CARNE

El nacimiento de Nuestro Señor Jesucristo, es decir, su venida al mundo según la carne, acaeció, en opinión de algunos, el año 5228 después de la formación de Adán y, en opinión de otros el 6000. Eusebio de Cesarea en sus *Crónicas* afirma que tuvo lugar en 5199, siendo Octavio Emperador de Roma. La fecha del año 6000 la puso en circulación Metodio, basándose más en supuestos místicos que en criterios cronológicos.

Cuando el Hijo de Dios se encarnó, la tierra entera estaba en paz, sometida toda ella a la autoridad del emperador de los romanos, que lo era a la sazón Octavio; así se llamaba este hombre cuando comenzó a gobernar; pero posteriormente asumió el nombre de César en recuerdo de su tío, Julio César; más tarde el de Augusto, por la expansión y prosperidad que bajo su mandato experimentó la república y, finalmente, el de Emperador, título superior al de Rey que ningún gobernante había llevado antes de él, y con el que se pretendió significar la altísima dignidad y supremos poderes concentrados en su persona y su supremacía sobre los demás reyes sometidos a su jurisdicción.

Vino el Hijo del Dios al mundo a traernos paz temporal y eterna; por eso eligió para nacer una época de sosiego político y social.

César Augusto, presidente de todo el orbe, quiso saber cuántas provincias, ciudades, poblaciones, campamentos y personas vivían bajo su autoridad. Esa fue la razón de que promulgara un edicto, ordenando, como dice la *Historia Escolástica*, que todos cuantos socialmente estaban considerados como cabezas de familia se empadronasen en el lugar de donde eran oriundos y que cada uno de ellos entregase al origen un denario de plata, equivalente a diez monedas corrientes (de ahí su nombre de denario), en calidad de tributo y en testimonio de su condición de súbdito al emperador de Roma. Las monedas llevaban grabada en una de sus caras la efigie y el nombre del César.

Este acto de presentación personal para la confección del censo implicaba dos cosas distintas: la profesión de fidelidad al imperio y el empadronamiento. La profesión se realizaba de esta manera: cada cabeza de familia, antes de entregar al presidente de la provincia el denario del tributo en nombre propio y en nombre de los demás individuos a quienes representaba, colocaba la moneda sobre su frente y en voz alta y delante del pueblo, se declaraba súbdito del imperio romano. De la expresión latina «*proprio ore fassio*» (reconozco con mis propios labios) derivó posteriormente la palabra *profesión*. A esto seguía el empadronamiento, que consistía en que se anotaba en una lista el número de personas en cuyo nombre el cabeza de familia había ofrecido el tributo.

Cirino, presidente de Siria, fue el primero que en su provincia introdujo la práctica del empadronamiento.

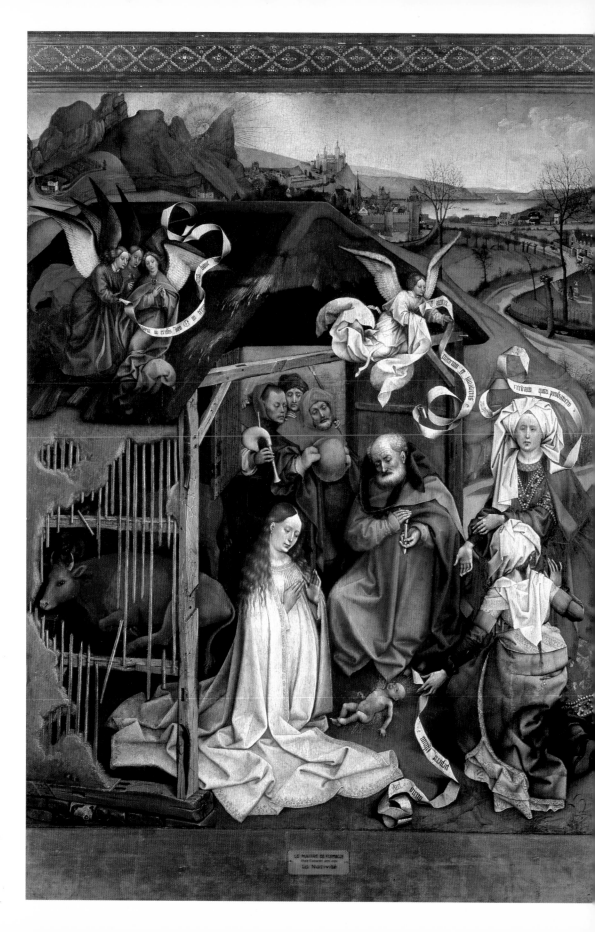

Esa expresión, *el primero*, que hallamos en la *Historia Escolástica*, ha de entenderse en relación con Cirino, pero puede interpretarse de diversas maneras, principalmente de estas tres:

a) Que comenzase a hacerse, antes que en ningún otro sitio, en Judea, por la razón de que Judea, como vulgarmente se dice, está situada en el ombligo, o sea, en el centro de la tierra habitable, y que esta práctica se hubiese extendido posteriormente a otras regiones vecinas y más tarde la hubieran adoptado todos los gobernadores de las demás provincias.

b) Que este empadronamiento fuese el primero de carácter universal, sin perjuicio de que hubiese habido anteriormente otros de índole regional o local.

c) Que fuese el primero hecho por cabezas de familias en presencia del presidente de la localidad, distinto, por tanto, de los que se hacían a nivel de región y por ciudades en presencia de un legado del César; y de los que a nivel mundial y por regiones, se efectuaban en Roma, en presencia del propio emperador.

José vivía en Nazareth, pero como descendía de David tuvo que ir a empadronarse a Belén. No podía saber de antemano si tardaría poco o mucho en regresar; el alumbramiento de María era inminente; no quería él dejar aquel riquísimo tesoro que Dios le había confiado en manos extrañas; prefería custodiarlo por sí mismo con exquisita diligencia; por eso llevó a su esposa consigo.

Dice san Bartolomé en su *Compilación*, y lo mismo leemos en el *Libro de la Infancia*, que, al aproximarse a Belén, la Bienaventurada Virgen advirtió que parte del pueblo estaba alegre y parte lloraba, y que un ángel le explicó aquel contraste de la siguiente manera: «Esa parte del pueblo que se regocija, es la de los gentiles, que recibirán eterna bendición a través de la sangre de Abraham; la parte que gime está formada por elementos judíos, que han merecido la reprobación divina».

Llegaron José y María a Belén. Como eran pobres y los alojamientos que hubieran podido estar al alcance de sus menguados recursos ya estaban ocupados por otros, venidos como ellos de fuera y por idéntico motivo, al no encontrar donde hospedarse tuvieron que cobijarse bajo un cobertizo público, situado, según la *Historia Escolástica*, entre dos casas. Tratábase de un albergue o tenada que había a las afueras del pueblo en un sitio al que acudían los habitantes de Belén a divertirse los días de fiesta, y si hacía mal tiempo se refugiaban bajo su techumbre para merendar o charlar.

Bien fuese que José preparara un pesebre para dar de comer a su asno y a un buey que había llevado consigo, o bien, como opinan otros, que estuviese allí ya de antes, a disposición de los campesinos de la comarca para apiensar sus ganados cuando acudían a Belén con ellos los días de mercado, el caso es que en dicha tenada había un pesebre.

José y María llegaron a Belén un domingo. Aquel mismo día, al punto de la media noche, la Bienaventurada Virgen dio a luz a su Hijo, y lo reclinó sobre el heno del pesebre. Dice la *Historia Escolástica* que el buey y el asno respetaron el heno en que el Hijo de Dios estuvo reclinado, que se abstuvieron de comerlo y que años después fue llevado a Roma, reverentemente, por santa Elena.

En relación con el nacimiento de Cristo debemos comentar principalmente estas tres cosas: primera, que fue un hecho milagroso; segunda, que todas las criaturas concurrieron maravillosamente para notificarlo a los hombres; y tercera, que su divulgación reportó al género humano suma utilidad.

I. El nacimiento de Cristo fue un hecho milagroso

Milagroso en cuanto a la generante, en cuanto al engendrado y en cuanto al modo de producirse la generación.

Milagroso en cuanto a la generante: Porque María fue Virgen antes del parto, en el parto y después del parto. Todo esto se prueba de cinco maneras:

Primera: Por la profecía de Isaías, que en su capítulo 7 dice: «*He aquí que una virgen concebirá y parirá un hijo, etc.*».

Segunda: Por los símbolos que lo prefiguraron: la vara de Aarón y la puerta de Ecequiel. De la vara de Aarón se dice que «*florecerá sin asistencia humana alguna*». De la puerta de Ecequiel se asegura que «*siempre permanecerá cerrada*».

Tercera: Por la calidad del custodio, que fue san José, a cuyo cuidado fue María confiada. Este solícito guardián constituyó por sí mismo un testimonio de la virginidad de su esposa.

Cuarta: Por el reconocimiento experimental que unas mujeres practicaron a la recién parida. En la *Compilación* de san Bartolomé, probablemente inspirada en el *Libro de la Infancia*, se dice que al presentársele a María los primeros síntomas del parto, José, aunque no dudaba de que era Dios quien iba a nacer de una virgen, ateniéndose a las costumbres de la época requirió la asistencia de dos comadronas. Una de ellas se llamaba Zebel y la otra Salomé. Zebel, después de examinar cuidadosamente a la parturienta, al comprobar que conservaba íntegra su virginidad, exclamó: «¡Ha parido una virgen!». Salomé se resistió a creerlo y quiso verificar por sí misma mediante el tacto de su mano, si era verdad lo que su compañera proclamaba; mas al intentar hacerlo, su brazo se le secó. Momentos después se le apareció un ángel, le indicó que tocara con su mano seca el cuerpo del niño recién nacido, hízolo así la incrédula partera y en aquel preciso instante su brazo quedó sano.

Quinta: Por un milagro que ocurrió. Lo refiere Inocencio III de esta manera: Para conmemorar la tranquilidad de que Roma había disfrutado a lo largo de doce años seguidos, los romanos construyeron un templo magnífico dedicado a la Paz, colocaron en él una estatua de Rómulo, y preguntaron a Apolo cuánto tiempo duraría aquella situación. Como Apolo les contestara que hasta que una virgen pariera, ellos comentaron: En ese caso durará eternamente, porque es imposible que una virgen para. Por eso grabaron sobre la puerta principal del templo esta inscripción: «Templo de la paz eterna». Pero durante la noche en que la Virgen dio a luz a su hijo, el templo misteriosamente se derrumbó. Sobre su antiguo solar se alza actualmente la iglesia de Santa María la Nueva.

El nacimiento de Cristo fue un hecho milagroso en cuanto al engendrado. «En la única persona de Cristo», escribe san Bernardo, «coexisten lo eterno, lo antiguo y lo nuevo; lo eterno, o sea, la divinidad; lo antiguo, es decir, el cuerpo, que procede de Adán; lo nuevo: el alma, creada en el momento en que fue concebido». En otro lugar dice el mismo santo: «Dios ha hecho tres mezclas y tres obras tan maravillosamente singulares que ni nunca anteriormente se dieron otras parecidas, ni jamás en el futuro habrá otras semejantes: en la Encarnación de Cristo se reunieron realmente Dios y el hombre, la maternidad y la virginidad, la fe y el espíritu humano. Maravillosa la

primera de estas conjunciones, porque supone la unión de Dios y del barro, de la majestad y de la debilidad, de la máxima sublimidad y de la máxima vileza, puesto que nada hay más alto que Dios y nada más bajo que el fango. La segunda no es menos admirable: Jamás antes había ocurrido ni volverá a suceder, que una mujer fuese virgen y pariese, fuese madre y continuase siendo virgen. La tercera, aunque inferior a la primera y segunda, es también muy notable, pues en verdad es maravilloso que la mente humana haya podido asentir mediante la fe a estas dos verdades: que Dios se ha hecho hombre y que una virgen parió y continuó siendo virgen». Hasta aquí, san Bernardo.

El nacimiento de Cristo fue un hecho milagroso en cuanto al modo de su generación. Efectivamente, la concepción del Señor se produjo superando las leyes naturales, puesto que una virgen, sin menoscabo de su virginidad, concibió; superando la capacidad de comprensión de la razón humana, puesto que esa virgen engendró a Dios; superando la condición de la humana naturaleza, puesto que parió sin dolor; y superando lo normal y corriente, puesto que concibió, no por inseminación de varón, sino por intervención espiritual divina, por obra del Espíritu Santo, puesto que el Espíritu Santo, de la purísima y castísima sangre de la Virgen tomó los elementos necesarios para formar el cuerpo del Hijo. De ese modo Dios demostró que había un cuarto procedimiento, admirable, para producir la vida humana. Con razón escribe san Anselmo que Dios ha podido producir y ha producido de hecho la vida humana de cuatro modos diferentes: sin varón ni hembra: así creó a Adán; con varón, pero sin hembra: así creó a Eva; con el concurso de varón y hembra, que es el sistema común; y con hembra, pero sin varón, como en el caso maravilloso de Cristo.

II. El nacimiento de Cristo fue un hecho milagroso, en cuanto que todos los tipos de criaturas intervinieron en la notificación del mismo a los hombres.

Varios son los tipos de criaturas. Entre ellas algunas, como las sustancias meramente corpóreas, por ejemplo, las piedras, no tienen más que ser; otras, como los vegetales y árboles, tienen ser y vida; otras tienen ser, vida y sensibilidad, como los animales; otras, como los hombres, tienen ser, vida, sensibilidad y discernimiento; y otras, finalmente, y tal es el caso de los ángeles, tienen ser, vida, sensibilidad, discernimiento e inteligencia. Pues bien, todos estos órdenes de criaturas intervienen en la publicación del nacimiento de Cristo. Veamos cómo:

Primero: Las criaturas del primero de esos órdenes, es decir, las meramente corpóreas, se dividen en tres grupos: unas son opacas, otras diáfanas y otras luminosas.

Las opacas contribuyeron a notificar al mundo el nacimiento de Cristo, mediante el desmoronamiento del templo de los romanos de que antes hemos hablado, y el de muchas estatuas, que en diferentes partes de la tierra, en aquella ocasión, repentinamente cayeron de sus pedestales y por sí mismas se deshicieron. A propósito de esto leemos en la *Historia Escolástica* que, después de la muerte de Godolías, el profeta Jeremías presentóse en Egipto y anunció a los reyes del país que, tan pronto como una virgen pariera, se descompondrían las imágenes de sus ídolos, y que para evitar que esto ocurriera los sacerdotes paganos egipcios colocaron en un lugar secreto del templo la efigie de una virgen con un niño en su regazo, a la que adoraban disimuladamente cuando nadie los veía, y que, al preguntarles en cierta ocasión el rey Tolomeo por qué adoraban aquella imagen, le respondieron que se trataba de un secreto relacionado con un hecho misterioso que, según comunicó a sus antepasados un santo profeta, había de ocurrir en el futuro.

También los cuerpos diáfanos comunicaron al mundo el nacimiento del Salvador: La noche del domingo en que Cristo nació, la obscuridad nocturna trocóse en diurna claridad. Orosio y el papa Inocencio III dicen que aquella noche las aguas de una fuente que había en Roma se convirtieron en aceite, que fluía a chorros, se desbordó, formó arroyos por las calles y desembocó en el Tiber; el fenómeno no fue momentáneo, sino que duró todo el día siguiente. Ya la Sibila había anunciado que cuando de una fuente de Roma brotara óleo en vez de agua, nacería el Salvador.

Los cuerpos luminosos estuvieron representados en esta ocasión por los astros del firmamento. He aquí lo que decía una antigua leyenda citada por el Crisóstomo: «El día en que nació Cristo estaban unos magos orando en la cima de una montaña. De pronto vieron cómo una estrella tomaba la figura de un niño hermosísimo sobre cuya cabeza resplandecía una cruz. En seguida la estrella habló y les dijo: Id a Judea; allí hallaréis un niño recién nacido». Ese mismo día en Oriente aparecieron en el cielo tres soles que al poco rato se convirtieron en uno, dando a entender, o bien que pronto el mundo tendría noticia de que Dios era uno y trino, o bien que había nacido alguien en cuya persona coexistían el alma, el cuerpo y la divinidad. Según la *Historia Escolástica* esos tres soles no surgieron en el cielo el día de la Natividad del Señor, sino antes, a raíz de la muerte de Julio César; y no una sola vez, sino varias, durante algún tiempo; así es como relata también este hecho Eusebio en su *Crónica*. Por su parte, Inocencio III cuenta lo siguiente: El emperador Octavio, tras de someter el mundo entero a la autoridad del Imperio Romano, se granjeó el aprecio de los senadores de tal modo que éstos trataron de tributarle honores divinos. Augusto, que era hombre prudente y cuerdo y sabía que su naturaleza, como la de los demás humanos, era mortal,

no quiso aceptar honras propias de los seres inmortales. No obstante, a instancias del Senado, accedió a preguntar a la profetisa Sibila si
alguna vez, en cualquier parte del mundo, nacería alguien superior a
él. El mismo día precisamente de la Natividad de Cristo, encerróse
con la Sibila en una cámara del palacio imperial y le hizo la referida
pregunta. La profetisa, antes de responderle, trató de interpretar los
signos de sus oráculos. De pronto, a la hora de mediodía, surgió alrededor del sol un círculo de oro y dentro de él la imagen de una virgen hermosísima con un niño en su regazo. La Sibila hizo que el
César contemplase aquella misteriosa aparición. Mientras Augusto,
admirado, tenía sus ojos clavados en la efigie, oyó una voz que le
decía: —Esta es el altar del cielo. Entonces la Sibila comentó: —Este
niño que ves en el regazo de esa doncella, tiene más categoría que tú,
adóralo. Por eso la sala en que el emperador y la Sibila se encontraban posteriormente fue dedicada a Santa María y llamada estancia de
Santa María Ara coeli, o sea, *Santa María, Altar del cielo*. El emperador,
comprendiendo que aquel niño le aventajaba en dignidad, lo adoró,
le ofreció mirra, y a partir de aquel día no consintió que a él, mero
hombre, se le tuviera por dios. Orosio cuenta algo que sin duda guar-
da relación con lo que acabamos de referir. Dice este autor que, en
tiempos de Octavio, un día, hacia la ora de tercia, estando el cielo
claro, limpio y sereno, apareció en lo alto de él un enorme círculo, a

modo de arco iris, rodeando el disco solar, cual si por este fenómeno quisiera darse a entender que había nacido el que por sí mismo había creado el sol y el mundo entero y tenía, por naturaleza, potestad para gobernar el universo. El relato que precede se encuentra también referido en una obra de Eutropio, y el historiógrafo Timoteo asegura que él leyó en historias antiguas de los romanos que Octavio, en el año trigésimo quinto de su reinado, subió al Capitolio y con verdadero interés rogó a los dioses que le dijeran quién gobernaría en la tierra cuando él faltara, y que oyó una voz que respondía a su pregunta de esta manera: «Un niño celestial engendrado eternamente de la esencia de Dios vivo, sin mancilla alguna, nacerá muy pronto de una virgen inmaculada, y ése será quien reine en el mundo». Sigue diciendo Timoteo que el emperador, tras de esta revelación mandó erigir en aquel mismo lugar un altar con esta inscripción: «Este altar está dedicado al Dios vivo».

Segundo: Las criaturas que tienen ser y vida, como las plantas y los árboles, colaboraron igualmente en la publicación del nacimiento de Cristo. San Bartolomé, en su *Compilación*, refiere que, durante la noche de la Natividad del Salvador, las viñas de Engadia, que producen bálsamo, florecieron, fructificaron y destilaron vino.

Tercero: He aquí cómo contribuyeron a la divulgación del extraordinario hecho los animales, es decir, las criaturas que tienen ser, vida y sensibilidad: En su viaje a Belén con María encinta llevó consigo José un asno, para que la Virgen hiciese el trayecto montada en él; y además, un buey para venderlo, así se supone, en el mercado, y obtener recursos para pagar el censo y hacer frente a otras necesidades. Pues bien, el buey y el asno, dándose milagrosamente cuenta de la calidad del recién nacido, se arrodillaron y le rindieron adoración. A más de éste, podemos aducir otro dato: Eusebio en su *Crónica* cuenta que, poco antes del nacimiento de Cristo, en la época de la arada, durante varias jornadas y repetidas veces cada día, mientras araban, unos bueyes dijeron a sus gañanes: «Los hombres fallarán, las cosechas prosperarán».

Cuarto: Los hombres, criaturas que tienen ser, vida, sensibilidad y discernimiento, intervenieron también en la propagación de la noticia, a través de los pastores y del César. Veamos primeramente la intervención de los pastores: La noche en que Jesús nació, varios pastores permanecían en vela guardando sus ganados, como hacían habitualmente en las dos temporadas del año en que las noches son más largas o más cortas. Los antiguos gentiles, en el solsticio de verano, que ocurre hacia la fiesta de san Juan, y en el de invierno, que cae cerca de Navidad, solían permanecer en vigilia durante la noche para dar culto al sol. Esa costumbre estaba muy arraigada entre los judíos, que acaso la copiaron de los paganos con quienes convivieron mucho tiempo. A algunos de esos pastores que estaban en vela se les apareció un ángel, les comunicó que el Salvador había nacido, y les dio pistas suficientes para que pudieran encontrarlo. A continuación, multitud de espíritus celestiales comenzaron a cantar a coro: «*Gloria a Dios en las alturas, etc.*». Los pastores, siguiendo las indicaciones recibidas, corrieron en busca del recién nacido y lo hallaron tal y como el ángel les había dicho. Veamos ahora cómo cuenta Orosio la intervención de César Augusto en la notificación al mundo del nacimiento de Nuestro Señor: El emperador ordenó que no se diese culto divino a su propia persona en cuanto supo que había nacido un niño extraordinario. ¿Cómo supo esto? Posiblemente dedujo que había venido al mundo alguien de más categoría que él y por eso no permitió que en adelante le llamaran ni Dios ni Señor, al ver aquella imagen de que ya hemos hablado, alrededor del sol, al recordar la ruina del templo y al enterarse de que una fuente de Roma, en lugar de destilar agua, destiló óleo. En algunas crónicas se lee que, pocos días antes del nacimiento de Cristo, Octavio hizo construir en todas las provincias del imperio multitud de calzadas públicas y perdonó a los romanos las deudas que tenían contraídas con la corona imperial. A la intervención de los pastores y de Octavio podemos añadir una más: la de los sodomitas, de quienes se dice que en la misma noche en que el Salvador nació, perecieron cuantos a la sazón había. Comentando

Jerónimo el pasaje «*Lux orta est*», escribe que la intensísima luminosidad repentinamente surgida en aquella noche cegó con sus rayos y causó la muerte a cuantos practicaban este vicio; y que Cristo permitió que sucediera esto para desarraigar de entre los hombres, cuya naturaleza había asumido, una lacra tan antinatural. San Agustín, por su parte, afirma que Dios, al considerar la extensión que semejante pecado, contrario a la naturaleza, había alcanzado en la especie humana, estuvo a punto de no encarnarse.

Quinto: Finalmente, intervinieron también en la publicación del nacimiento de Cristo los ángeles, criaturas que tienen ser, vida, sensibilidad, discernimiento e inteligencia. Ellos fueron, precisamente, quienes, como ya hemos dicho, anunciaron a los pastores que el Salvador había nacido.

III. La noticia de que Cristo había nacido fue muy útil para nosotros, los hombres, por las siguientes razones:

Primera: Porque los demonios quedaron confundidos y a partir de entonces perdieron la prevalencia que venían teniendo sobre el alma humana. A propósito de esto, he aquí algunos casos muy significativos: Leemos en un libro que un año, en la vigilia de la Natividad del Señor, san Hugo, Abad de Cluny, vio a la Virgen Santísima con su Hijo en los brazos y oyó que le decía: «Hoy es el día en que los oráculos de los profetas tuvieron su cumplimiento. ¿Dónde está aquel enemigo que antes se ufanaba de la potestad que ejercía sobre los hombres?». Al oír estas palabras el diablo salió de las entrañas de la tierra para desmentir a la Señora; pero fracasó en su intento inicuo, porque aunque recorrió todas las dependencias del monasterio pretendiendo alardear de que todavía conservaba influencia sobre los monjes, de todas ellas fue arrojado por las virtudes que en las mismas se practicaban: en el oratorio halló devoción; en el refectorio, lectura sagrada; en los dormitorios, camas muy austeras y en el capítulo, penitencia.

En el libro de Pedro Cluniacense leemos también que otro año, en la vigilia de la Natividad del Señor, aparecióse la Bienaventurada Virgen María al Abad san Hugo. Llevaba Nuestra Señora en sus brazos al Niño Jesús y jugueteaba con Él. San Hugo oyó que el Niño decía a su Madre: «Fíjate, Madre: mira con cuánto júbilo celebra hoy la Iglesia la fecha de mi nacimiento». «¿Dónde está ahora aquella fuerza que el demonio antes tenía? ¿Qué dirá a todo esto? ¿Qué podrá hacer en adelante?». De pronto el diablo salió de debajo del suelo y exclamó: «¡Ya que no puedo entrar en el templo, porque los monjes están celebrando en él el oficio divino, entraré en el capítulo, en los dormitorios y en el refectorio!». Más adelante lo intentó, pero en vano, porque la puerta del capítulo era tan estrecha y él tan

grueso, que no pudo pasar por el reducido hueco de ella; las de los dormitorios resultáronle excesivamente bajas para su estatura; la del refectorio no logró abrirla, porque los servidores de las mesas la habían cerrado por dentro con cerrojos, movidos por su caritativo deseo de que nadie entrara en aquel lugar a molestar a los religiosos que, mientras comían y bebían parca y sobriamente, prestaban atención a la lectura que un monje hacía para todos. Entonces el demonio, corrido de vergüenza por su fracaso, se desvaneció y desapareció.

Segunda: Por la confianza que produjo en nosotros de que nuestros pecados nos serían perdonados.

En un libro de ejemplos leemos que una mujer, tras de abandonar su anterior vida lúbrica y arrepentirse de ella, creía que no podría ser nunca perdonada. Si pensaba en el juicio, persuadíase de que ella, tan inmunda en otro tiempo, jamás podría ser recibida en el paraíso, y que sería arrojada a las penas infernales; si pensaba en la pasión de Cristo, convencíase de que era una ingrata; mas un día, meditando en la infancia de Jesús y considerando cuán fáciles son de contentar los niños, invocó la misericordia de Nuestro Señor apelando a los méritos de su Natividad y niñez, y oyó una voz que le aseguraba que todos sus pecados estaban ya perdonados.

Tercera: Porque constituye un remedio para nuestras necesidades.

A propósito de esto, veamos lo que dice san Bernardo: «El género humano padecía tres calamidades: una en el comienzo de su vida, otra durante ella y otra al final de la misma; es decir, que el hombre estaba rodeado de miserias al nacer, a lo largo de su existencia y al morir. Su nacimiento era inmundo, su vida perversa y su muerte peligrosa; pero vino Jesucristo a la tierra y trajo remedio para cada una de esas necesidades: también él nació, vivió y murió. Su nacimiento purificó el nuestro, su vida dio sentido a nuestra vida y su muerte destruyó nuestra muerte». Hasta aquí, san Bernardo.

Cuarta: Porque su nacimiento humilló nuestra soberbia. Considerando las siguientes palabras de Agustín: «La humildad del Hijo de Dios, tan claramente puesta de manifiesto en el misterio de su Encarnación, es para nosotros un ejemplo, un sacramento y una medicina. Como ejemplo, nos reporta suma utilidad si lo imitamos; como sacramento, rompió las ligaduras que nos amarraban al pecado; como medicina, constituye un remedio eficacísimo para ablandar la dureza de nuestra soberbia». Esto escribió Agustín. Y escribió bien, porque los efectos de la soberbia del primer hombre quedaron neutralizados por la humildad de Cristo. Obsérvese cuán convenientemente la humildad del Salvador se contrapone a la soberbia del prevaricador: la soberbia del primer hombre se alzó contra Dios, hasta Dios y por encima de Dios. Contra Dios, porque se rebeló contra su prohibición de que comiera frutos del árbol del bien y del mal; hasta Dios, porque creyendo al diablo, que le dijo que *«serían como dioses»*, pretendió igualarse a Él; por encima de Dios, porque queriendo, dice san Anselmo, lo que Dios no quería que el hombre quisiese, puso su voluntad por encima de la voluntad de Dios. Pero el Hijo de Dios, advierte el Damasceno, se humilló, no contra los hombres, pero sí en favor de los hombres; se puso a la altura de ellos al nacer como ellos nacen; y por encima, por las diferencias que hay entre nuestro modo de nacer y el suyo, porque aunque su nacimiento se asemejó al nuestro en que nació de mujer y mediante parto, como mediante parto y de mujer nacemos nosotros, se diferenció del nuestro en otras cosas, por ejemplo, en que nació de María por obra del Espíritu Santo.

CAPÍTULO VII (XIV)

LA EPIFANÍA
DEL SEÑOR

uatro nombres tiene esta festividad, correspondientes respectivamente a los cuatro hechos maravillosos que en ella se conmemoran, a saber: la adoración de Jesús por los Magos, el bautismo que san Juan administró al Señor, la conversión por Cristo del agua en vino, y el milagro que el mismo Cristo realizó para alimentar con cinco panes a cinco mil hombres.

Cuando Jesús tenía trece días llegaron hasta él unos magos, guiados por una estrella. De *epi* (sobre) y de *phanos* (aparición) ha resultado *Epifanía*, nombre dado a esta fiesta, para significar con él que una nueva estrella apareció en lo alto del cielo y que a través de ella Jesucristo se manifestó como verdadero Dios a los Magos.

Veintinueve años después de este hecho, y en la misma fecha en que los Magos adoraron a Jesús, Éste fue bautizado en el Jordán. San Lucas dice que cuando Cristo fue bautizado tenía treinta años; y dice bien, porque cuando esto ocurrió ya hacía trece días que Jesús había cumplido los veintinueve y, por tanto, se hallaba en el año treinta de su vida y, como advierte Beda, eso equivalía a estar ya plenamente inmerso en el año trigésimo de edad, y por lo mismo en ese sentido debe entenderse lo que acerca de la edad de Cristo afirma la Iglesia Romana.

De *theos* (Dios) y *phanos* (aparición) proviene *Teofanía*, otro de los nombres dados a esta fiesta. Teofanía equivale a *aparición de Dios*. No olvidemos que en este día conmemoramos también el Bautismo del Señor y que, mientras Juan bautizaba a Jesús, mostróse toda la Trinidad: el Padre, a través de las palabras que durante el bautismo se oyeron; el Hijo, mediante la presencia física de Cristo, cuyo cuerpo estaba allí visible; y el Espíritu Santo, dejándose ver en forma de paloma.

Un año más tarde, en la misma fecha, cuando el Señor contaba ya treinta años y trece días, o treinta y un años si adoptamos el otro modo de contar la edad, convirtió el agua en vino. Con este milagro manifestóse como verdadero Dios; y porque esta manifestación tuvo lugar en el interior de una casa, y casa en hebreo se dice *beth*, de *beth* ha resultado el nombre de *Betania*, aplicado a esta solemnidad en recuerdo del tercer episodio que en ella se conmemora: la conversión milagrosa del agua en vino.

Según Beda, en opinión de algunos, y según el himno *Iluminando el Altísimo* («Illuminans Altissimus») que en el día de hoy se canta en muchas iglesias, un año más tarde, cuando Jesús contaba treinta y un años de edad y trece días, o treinta y dos años, a tenor del cómputo que se adopte, alimentó a cinco mil hombres con cinco panes. En memoria de este milagro, recordado también en esta fiesta, se ha dado a la misa un cuarto nombre: el de *Fagifanía*, palabra derivada del vocablo griego *phage*, que significa *boca* y *comer*. Pero conviene advertir que no hay completa seguridad de que este cuarto episodio ocurriera precisamente en

el mismo día que los otros; ni en el original de Beda, aunque algunos pretendan apoyarse en él, no se afirma nada de esto al respecto; ni tal hipótesis puede inferirse del relato de este milagro tal como se halla descrito por san Juan, porque lo que este evangelista dice en el capítulo sexto de su evangelio, al referirse al tiempo en que fue realizado, se reduce meramente a consignar que estaba ya próxima la fiesta de la Pascua. No obstante, es general la creencia de que estas cuatro manifestaciones de la divinidad de Cristo tuvieron lugar en el mismo día, aunque cada una de ellas en años diferentes, y por estos procedimientos: La primera, a través de una estrella situada sobre el pesebre; la segunda, mediante la voz del Padre en las cercanías del Jordán; la tercera, por la conversión del agua en vino, durante una comida; la cuarta, por la multiplicación de los panes en el desierto.

Como, de las cuatro, la más directa y expresamente conmemorada en esta fiesta es la primera, de la primera exclusivamente trataremos.

Poco después del nacimiento del Señor llegaron a Jerusalén tres magos, llamados en hebreo Apelio, Amerio y Damasco; en griego Gálgala, Malgalat y Sarathin; y en lengua latina, Gaspar, Balthasar y Melchior (Gaspar, Baltasar y Melchor).

La palabra mago significa tres cosas diferentes: ilusionista, hechicero maléfico y sabio. ¿Cuál de estas tres significaciones debemos atribuir a nuestros tres magos? Sobre esto hay tres opiniones.

Según algunos intérpretes, estos tres hombres eran de hecho tres reyes aficionados a la práctica del ilusionismo; por eso, con sus trucos y astucia, consiguieron engañar a Herodes y, en vez de regresar por Jerusalén hacia su tierra, como con él habían convenido, lo hicieron por otro sitio. Quienes sostienen esta hipótesis invocan en favor de la misma este texto del Evangelio: «*Viendo Herodes que había sido engañado por los magos... etc.*». Otros estiman que eran hechiceros, al estilo de los encantadores que servían al Faraón ejerciendo la magia para causar con ella maleficios. El Crisóstomo es uno de los que opinan de esta manera. Según este santo doctor, Cristo quiso convertir a estos magos, y mediante la revelación de su nacimiento los apartó de sus malas artes, y los santificó para que su conversión sirviera de ejemplo y de motivo de esperanza a los pecadores de cualquier género. Otros, finalmente, suponen que eran tres sabios, llamados magos, no porque practicaran la hechicería ni el ilusionismo, sino porque en su tierra de origen la palabra *mago* se usaba para designar a las personas de ciencia, y equivalía a la voz *escriba* de los hebreos, a la de *filósofo* de los griegos y a la de *sabio* de los latinos. Por tanto, en opinión de estos intérpretes, el calificativo de *magos* dado por la Escritura a estos tres hombres ha de entenderse en el sentido de que se trataba de tres sabios, de tres personajes eminentes por su sabiduría.

Estos tres hombres eran, pues, tres reyes muy sabios, y llegaron a Jerusalén, no solos, sino en compañía de sus escoltas y séquitos.

Pero, ¿cómo es que los Magos fueron a Jerusalén, si allí no se encontraba el Niño?

Cuatro respuestas da Remigio a esta cuestión.

Primera: Los Magos sabían que Cristo había nacido, mas no dónde; y como Jerusalén era la capital del reino de los judíos y lugar de residencia del sumo sacerdote, pensaron que un niño tan importante acaso hubiese venido al mundo en la más importante ciudad de Judea.

Segunda: Porque, en el supuesto de que no hubiese nacido en Jerusalén, en esta ciudad, capital del reino, los escribas y doctores de la ley que en ella vivían podrían informarlos sobre el particular.

Tercera: Porque así lo dispuso Dios para quitar a los judíos toda ocasión de pretextos y excusas, puesto que si decían a los Magos que, en efecto, sabían dónde el Niño había de nacer, pero no cuándo, los Magos les dirían a ellos que el nacimiento ya se había producido; y si, después de enterarse de que el Niño ya estaba nacido, sabedores del lugar no acudían prestamente a rendirle adoración, no podrían invocar en defensa de su desidia que ignoraban el hecho de su nacimiento.

Cuarta: Para que, en contraste con la diligencia de los Magos, se pusiese de manifiesto la indolencia y frialdad de los judíos en relación con el nacimiento del Mesías. Un solo signo profético bastó para que aquéllos al instante se movilizaran; en cambio, éstos, a pesar de los numerosos vaticinios que se les habían hecho, permanecían tan tranquilos. Desplazáronse los Magos desde sus lejanas tierras, buscando afanosamente a un rey extraño; en cambio, los judíos no se movieron dentro de su propia nación ni dieron un paso para acercarse a su propio Rey.

Comúnmente se cree que los Magos eran descendientes de Balaam y que conocían esta profecía hecha por su antepasado: «*De Jacob nacerá una estrella; un hombre procederá de Israel, etc.*».

A las cuatro respuestas precedentes sobre la cuestión de la venida de los Magos a Jerusalén, el Crisóstomo, en su comentario al evangelio de san Mateo, añade otra. Dice este santo doctor lo siguiente: «Según una tradición antigua, un grupo de astrólogos, dedicados a descubrir el futuro a través de las estrellas, acordaron nombrar una comisión formada por doce de ellos para que los miembros de la misma observasen permanentemente el cielo, hasta que descubriesen la aparición de la estrella de que había hablado Balaam; si morían estos astrólogos, deberían ser reemplazados por alguno de sus hijos, y éstos por otros descendientes suyos. Todos los años, cada año en un mes distinto, siguiendo en la ordenación de los meses en ciclo rotativo, subían los doce de la comisión al monte de la Victoria y permanecían en su cima tres días consecutivos haciendo abluciones y pidiendo a Dios que les mostrara la estrella cuya aparición había sido vaticinada por el profeta. En una de aquellas ocasiones, precisamente el mismo día en que nació el Señor, cuando estaban entregados a estas prácticas de oración, vieron un astro que por encima del monte avanzaba hacia ellos, y quedaron sumamente sorprendidos al advertir que, al aproximarse al sitio en que se encontraban, la estrella se transformaba en la cara de un niño hermosísimo con una cruz brillante sobre su cabeza; su sorpresa fue aún mayor al oír que la estrella hablaba con ellos y les decía: Id prontamente a la tierra de Judá; allí encontraréis ya nacido al Rey a quien buscáis. Los astrólogos, obedientes a este mandato, inmediatamente se pusieron en camino hacia el país que la misteriosa estrella les había indicado».

¿Cómo los Magos, en tan sólo trece días pudieron recorrer la distancia existente entre su tierra, que pertenecía al lejano Oriente, y la ciudad de Jerusalén, situada en el vulgarmente llamado ombligo del mundo? Dos respuestas podemos dar a esta pregunta: una, la que a ella da el citado Remigio: Porque así pudo hacer que ocurriera aquel Niño omnipotente a quien deseaban ver cuanto antes. Otra: No olvidemos que los Magos hicieron su viaje en dromedarios, como se infiere de un texto profético de Jeremías, ni que los dromedarios son animales tan sumamente veloces que son capaces de recorrer en una jornada lo que un caballo recorre en tres. Por eso se llaman *dromedarios*, palabra derivada de *dromos*, que significa carrera, pujanza y fuerza.

«Llegados los Magos a Jerusalén, preguntaron a la gente por el Niño recién nacido». Obsérvese que preguntaron, no si había nacido ya, que de eso estaban ellos seguros, sino dónde estaba. Pero como acaso algunos les replicasen que en qué se fundaban para afirmar con tanta seguridad que el Mesías ya había nacido, les respondieron: *«Hemos visto en Oriente su estrella y venimos a adorarle».*

Esta respuesta puede interpretarse de una de estas dos maneras: Primera. «Estando nosotros en Oriente, vimos situada sobre Judea la estrella que según los anuncios aparecería tan pronto como naciera». Segunda. «Estando nosotros en nuestra tierra, vimos su estrella situada hacia el Oriente».

Remigio, en su comentario, advierte que los Magos, a través de las palabras que utilizaron para preguntar a la gente por el Niño, dieron a entender suficientemente que tenían a tal Niño por verdadero hombre, por verdadero Rey y por verdadero Dios. Al preguntar *«¿dónde está el que ha nacido?»*, pusieron de manifiesto que lo tenían por *verdadero hombre*; al añadir *«rey de los judíos»*, declararon que lo tenían por *verdadero Rey*; y al manifestar que venían *a rendirle adoración*, manifestaron igualmente que lo tenían por *verdadero Dios*, ya que teóricamente todo el mundo admitía que sólo Dios merece y debe ser adorado.

«Al oír esto, el rey Herodes se turbó, y con él toda la ciudad de Jerusalén».

Turbóse Herodes por tres motivos:

Primero: Porque previó la posibilidad de que los judíos aclamasen por rey al recién nacido y de que lo recusasen a él, que en realidad era extranjero. «Así como las ramas cimeras de un árbol», comenta el Crisóstomo, «se mueven al más ligero soplo de la brisa, así cualquier rumor estremece a los hombres encaramados en las alturas del poder y de las dignidades».

Segundo: Porque temió que, si en aquella provincia que dependía de Roma alguien pretendía erigirse en rey sin nombramiento previo del Augusto, los romanos lo culparían a él de no haber sofocado a tiempo aquel brote de separatismo. Una de las leyes romanas ordenaba que en cualquier parte del imperio nadie, sin permiso del emperador, podía titularse ni dios ni rey.

Tercero: Porque la noticia del nacimiento de un competidor necesariamente tenía que producirle inquietud. A este respecto comenta Gregorio: «Nacido el Rey del cielo, turbóse el rey de la tierra, porque es natural que el poder terreno tiemble ante la grandeza del poder celestial».

Turbóse asimismo toda la ciudad de Jerusalén, y también por tres motivos, aunque diferentes de los que ocasionaron la turbación de Herodes:

Primero. Porque los impíos no pueden soportar la presencia de un justo entre ellos.

Segundo. Porque con su propia turbación, más o menos simulada, trataron de adular al conturbado Herodes.

Tercero. Porque temieron que se desencadenara una guerra entre ambos rivales. Cuando los vientos chocan entre sí surgen las tempestades. Si aquellos dos reyes, el que lo era ya y el que pretendía serlo, entraban en colisión, y entrarían no tardando, sobrevendría la pugna entre ellos por el poder, sumaríanse a ella sus respectivos partidarios y a todos alcanzarían las consecuencias del conflicto armado. El Crisóstomo opina que el miedo a una posible guerra fue la causa principal de la turbación de Jerusalén.

«Herodes convocó a todos los sacerdotes y escribas para averiguar el lugar en que, según las Escrituras, debería nacer el Mesías».

Enterado de que las profecías situaban ese nacimiento en Belén de Judá, tuvo una conversación secreta con los Magos y, ocultando hábilmente sus dolosas intenciones, supo por ellos cuánto tiempo hacía que había aparecido la estrella en el firmamento y les rogó que, si hallaban al Niño, una vez que le hubiesen rendido los homenajes de adoración que pensaban tributarle, volviesen por Jerusalén a informarle de cuanto hubiesen visto, porque también, les dijo, él quería visitarle y adorarle.

Toda esta conversación no tuvo otro objeto que el procurarse datos que le permitieran, en el caso de que los Magos, por cualquier motivo, no se entrevistaran de nuevo con él, llevar a cabo el plan que tenía ya proyectado, que era matar al Niño al que simulaba querer adorar.

Notemos que, cuando los Magos llegaron a Jerusalén, la estrella que hasta allí los había guiado desapareció de su vista, y desapareció por tres razones:

Primera. Para que, al verse obligados a averiguar por sí mismos el lugar concreto en que había nacido el Niño, se enterasen de que tal nacimiento no sólo estaba presagiado por la aparición de una estrella, sino que acerca de este suceso existían desde antiguo numerosos vaticinios proféticos. De este modo, en efecto, conocieron cuanto los profetas habían dicho sobre Cristo.

Segunda. Porque también, en cierta manera, merecieron quedarse sin el auxilio divino, al buscar el de los hombres.

Tercera. Porque Dios, dice el Apóstol, ayuda a los infieles con signos, y a los fieles con profecías. Ellos, que eran paganos, mientras permanecieron aislados de los judíos fueron guiados por una estrella, que era un signo; pero, en cuanto llegaron a Jerusalén y se mezclaron con los judíos, que eran fieles, el signo desapareció.

Las tres razones precedentes están consignadas en la Glosa.

«Después de oír al rey se fueron, y la estrella que habían visto en Oriente les prece-
día, hasta que, llegada encima del lugar en que estaba el Niño, se detuvo».
Acerca de la naturaleza de esta estrella hay tres opiniones; helas aquí,
tales como Remigio las expone en su comentario:
Primera. Unos dicen que no fue estrella real, sino una mera figura
adoptada por el Espíritu Santo, quien, así como cuando Juan bautizó
a Jesucristo tomó la forma de paloma y se posó sobre el Señor, así en
esta otra ocasión mostróse en forma de estrella para guiar a los Magos.
Segunda. Otros, como el Crisóstomo, si bien coinciden con los anteriores al pensar que la estrella no fue real, sino aparente, difieren de ellos
en cuanto al sujeto que asumió tal forma, que en su opinión no fue el
Espíritu Santo, sino el mismo ángel que comunicó a los pastores el nacimiento del Salvador. Como los pastores eran judíos, y por tanto creyentes en Dios y racionales, el ángel se presentó a ellos en forma racional; pero el mismo ángel, para guiar a los Magos, que eran paganos y se
movían en un ambiente material, tomó una apariencia material.
Tercera. Otros, en cambio, y ésta parece la opinión más razonable,
estiman que se trató de una verdadera estrella ocasionalmente creada
por Dios para este menester, que era el de guiar a los Magos. Esta
estrella, cumplida su misión, tornó a su anterior inanidad
San Fulgencio dice que esta estrella se distinguía de las demás en tres
cosas: en su ubicación, en su fulgor y en su movimiento. En su ubica-

ción: porque no estaba situada en lo alto del firmamento, como las otras, sino que flotaba en el espacio, a escasa distancia de la tierra. En su fulgor: su brillo era mucho más intenso que el de los otros astros, puesto que su resplandor no quedaba, como el de éstos, ofuscado por el del sol y era perfectamente visible incluso en las horas más claras del mediodía. En el movimiento: que no era circular ni describía una órbita determinada, sino que avanzaba y procedía en una misma dirección, como avanzan y proceden los animales semovientes; e iba delante de los Magos como pudiera haber ido un viajero cualquiera que hubiese hecho el oficio de guía

La Glosa que comienza con las palabras «*Esta estrella del nacimiento del Señor*», escrita en torno al capítulo segundo de san Mateo, a las diferencias consignadas anteriormente añade otras tres, a saber:

En cuanto a su origen: esta estrella no fue creada, como las demás, al principio del mundo, sino cuando Cristo nació.

En cuanto a su cometido, que fue el de mostrar el camino a los Magos y no el de marcar el curso del tiempo y de las estaciones, que es el oficio, según el capítulo primero del Génesis, de los demás astros del firmamento.

En cuanto a la duración: Las otras estrellas durarán perpetuamente; en cambio, ésta, una vez cumplido el oficio temporal para el que fue creada, se desintegró.

«Al ver de nuevo la estrella, los Magos sintieron grandísimo gozo».

Creemos oportuno advertir que los Magos, de hecho, vieron no una sola estrella, sino cinco, de diferente naturaleza: una material, otra espiritual, otra intelectual, otra racional y otra supersustancial. La primera de ellas, la material, fue la que se les apareció en Oriente. La segunda, la espiritual, equivalente a la fe, descubriéronla con el corazón; si esta estrella de la fe no hubiese iluminado sus almas no hubieran podido ver la primera. Que los Magos tenían fe y creían firmemente que el Niño que buscaban existía realmente, se prueba por la pregunta que hicieron al llegar a Jerusalén: *«¿Dónde está el nacido?»*; y que creían que aquel Niño era de estirpe regia, se demuestra con el resto de las palabras de la aludida pregunta, sobre todo con las que lo llamaron *rey de los judíos*; también creían que el pequeño rey era Dios, puesto que a la pregunta añadieron: *«venimos a rendirle adoración»*. La tercera estrella, o sea, la intelectual, fue el ángel que se les apareció mientras dormían y les encargó que no se entrevistaran con Herodes. Debo hacer constar, sin embargo, que este aviso, según el autor de cierta Glosa, no se lo dio un ángel, sino el mismo Dios. La cuarta, la racional, fue la Bienaventurada Virgen María, a la que vieron en el cobertizo o establo. La quinta, la supersustancial, fue Jesucristo, es decir, el Niño reclinado en el pesebre. La aparición o visión de las estrellas cuarta y quinta está expresamente consignada

en la Escritura, en la que se dice que al entrar en el portal «*vieron al Niño, con María, su Madre*». Si llamamos estrellas a estas cinco realidades vistas por ellos es porque así también han sido llamadas en la Biblia. La primera de ellas está incluida en esta expresión del salmista: «*La luna y estrellas que tú creaste*». En el capítulo 43 del libro del Eclesiástico se llama a la fe hermosura del cielo y gloria de las estrellas, dándonos a entender con esas frases que la fe constituye la suprema belleza del hombre espiritual y es como el alma de las demás virtudes. De la tercera, leemos en el capítulo tercero de Baruch: «*Las estrellas llenaron de luz sus propios ámbitos*». La cuarta, la Virgen María, es saludada por la Iglesia, fundándose en la Escritura, con estas palabras: «*Ave, maris stella*»: «¡Salve, estrella del mar!». De la quinta se dice en el libro del Apocalipsis: «*Yo soy un retoño procedente de David y una estrella brillante; yo soy el lucero de la mañana*».

La visión de la primera y segunda de estas estrellas produjo alegría a los Magos; la de la tercera, alegría regocijada; la de la cuarta, alegría muy grande; la de la quinta, alegría jubilosa grandísima. Esta alegría sucesivamente creciente en el ánimo de los Magos, señalada por el Evangelio, explícala la Glosa por estas palabras: «Alégrase con regocijo grande quien se alegra en Dios, que es fuente de gozos verdaderos. El regocijo fundado en Dios es siempre grande, porque grande es todo cuanto en Dios se funda; pero en toda magnitud, y también en la del júbilo, caben diferentes grados: por eso, el gozo de los Magos, al ver a Cristo, fue no sólo grande, sino grandísimo».

También cabe decir que el evangelista consignara la gradación creciente en el gozo de los Magos para darnos a entender que los hombres experimentan mayor alegría por la recuperación de las cosas perdidas que por la posesión de las que siempre han tenido.

Una vez dentro de la humilde morada en la que hallaron al Niño con su Madre, los Magos se arrodillaron y ofrecieron al Señor cada uno de ellos estos tres dones: oro, incienso y mirra. A propósito de esto exclama Agustín: «¡Oh!... ¿Quién es esa pequeña criatura para que los astros se sometan a ella? ¡Qué inmensa su grandeza y cuán soberana su gloria, puesto que ante sus pañales postérnanse los ángeles, obedecen las estrellas, tiemblan los reyes y se arrodillan los sabios de la tierra! ¡Oh dichoso tugurio, convertido en sucursal del cielo y morada de Dios, alumbrado, a falta de lámparas, por una estrella! ¡Oh palacio celestial que sirves de residencia no a un monarca enjoyado, sino al propio Dios hecho hombre! ¡En vez de lechos floridos, mullidos y blandos, tienes duros pesebres! ¡En lugar de ricos artesonados, tu techumbre, hecha de cañas, hállase ennegrecida de hollín, sin otros adornos que el de la estrella! ¡Veo los pañales, miro al cielo y me sobrecojo de estupor! ¡Confundido y sofocado me siento cuando veo acostado sobre la paja del pesebre, como si fuera un mendigo, al que tiene más lustre y brillo que los astros!».

San Bernardo, a su vez, comenta: «¿Qué hacéis, Magos? ¿Qué hacéis? ¿Cómo es que estáis adorando a un niño de pecho, envuelto en pobres pañales y alojado en tal vil tugurio? ¿No será que ese Niño es Dios? ¿Qué es lo que hacéis? ¿Por qué le ofrecéis oro? ¿Será que ese Niño es Rey? Pero, en ese caso, ¿dónde están su real palacio, el trono, los cortesanos y toda la servidumbre de la regia curia? ¿Es que tiene, tal vez, por alcázar una tenada y por trono un pesebre y por comitiva a José y a María? A cualquiera hubiera podido parecer que los Magos se comportaban como mentecatos; y, sin embargo, estaban realmente obrando con profunda sabiduría».

Jerónimo, en el libro segundo *Sobre la Trinidad*, dice: «Pare una virgen, y la criatura que trae al mundo es el Hijo de Dios. Óyense al mismo tiempo los vagidos del pequeño y los cánticos laudatorios de los ángeles. El niño es humano; acaso ensucie los pañales; pero en cuanto Dios, es adorado; la altísima dignidad del infante no padece menoscabo porque se ponga de manifiesto la humildad de su verdadera condición humana; al contrario: de ese modo se demuestra cómo en el Niño Jesús coexistieron las debilidades y limitaciones de su humanidad y las grandezas y sublimidades de su naturaleza divina».

El mismo santo, comentando la carta a los Hebreos, escribe: «Contempla la cuna de Cristo, y eleva al mismo tiempo tus ojos al cielo. ¿Qué adviertes? Que el Niño está llorando, mientras que los ángeles cantan; que Herodes lo persigue, en tanto que los Magos lo adoran; que los fariseos pretenden ignorar su existencia, pero la estrella proclama su nacimiento; que recibe el bautismo de manos de un inferior a Él, mas en las alturas resuena la voz de Dios; que se sumerge en las aguas, pero sobre Él desciende una paloma, o mejor dicho, el Espíritu Santo en forma de paloma».

De entre las muchas razones que movieron a los Magos a ofrecer al Niño, precisamente, las tres clases de presentes mencionados señalaremos cinco:

Primera. Era costumbre universalmente extendida por los pueblos antiguos que nadie compareciese ante Dios o ante el rey con las manos vacías. En semejantes ocasiones, los persas y caldeos solían regalar a sus monarcas y dioses esas tres cosas y, según la *Historia Escolástica*, los Magos eran naturales de una región existente entre Persia y Caldea, llamada Sabea, nombre derivado del río Saba, que pasa por ella. Esta primera razón la hemos tomado de Remigio.

Segunda. Dice san Bernardo que los Magos ofrendaron a Cristo oro, para socorrer la pobreza de la Virgen Santísima; incienso, para contrarrestar el mal olor que había en el establo; y mirra, para ungir con ella al Niño, fortalecer sus miembros e impedir que se acercaran a Él parásitos e insectos.

Tercera. Porque como el oro se usaba para pagar los tributos, el incienso para los sacrificios y la mirra para ungir a los muertos, los Magos, ofreciendo al Señor estas tres cosas, proclamaron que en aquel Niño coexistían la regia potestad, la majestad divina y la naturaleza humana mortal.

Cuarta. Porque quisieron darnos a entender con el oro, que significa amor, con el incienso, que significa adoración, y con la mirra, que significa mortificación, que también nosotros debemos ofrendar a Dios amor, adoración y la mortificación de nuestros sentidos.

Quinta. Porque a través de estos tres presentes reconocían las tres realidades que coexistían en el Niño Jesús: su preciosísima divinidad, su alma santísima y su cuerpo puro e inmaculado. Estas tres realidades ya habían sido con mucha antelación simbolizadas por las tres cosas que se guardaron en el Arca: la vara, las tablas y el maná. La vara, que floreció, representaba al cuerpo de Cristo, que resucitó; «refloreció mi carne», dice a este respecto el salmista. Las tablas de la Ley significaban su alma, en la que estaban encerrados todos los tesoros de la ciencia y sabiduría de Dios. El maná simbolizaba su divinidad, asiento de todos los sabores y de todas las suavidades. De modo parecido el oro, que es el más precioso de los metales, significó su divinidad preciosísima; el incienso, con sus connotaciones de oración y piedad, simbolizó su devotísima alma, como se infiere de este texto del salmista: «*Suba mi alma hacia ti como columna de incienso*»; la mirra, que preserva de la corrupción, representó la pureza de su cuerpo.

«*Advertidos los Magos en sueños de no volver a Herodes, tornáronse a su tierra por otro camino*».

He aquí, en síntesis, las maravillas que acaecieron en aquel fecundo viaje de los Magos: Vinieron de su país guiados por una estrella; a través de los hombres, y sobre todo por el conocimiento que adquirieron de los vaticinios de los profetas, se enteraron de muchas cosas; regresaron a su lugar de origen conducidos por un ángel; finalmente, enriquecidos con la fe en Jesucristo, descansaron en la paz del Señor.

Sus cuerpos estuvieron sepultados durante algún tiempo en una iglesia de Milán que actualmente pertenece a los religiosos de la Orden de Predicadores, pero después fueron trasladados a Colonia, donde al presente reposan. Antiguamente habían estado en otros sitios: Santa Elena, madre de Constantino, se apoderó de ellos, los sacó de su primitivo enterramiento y los llevó a Constantinopla; de Constantinopla fueron trasladados a Milán por el obispo san Eustorgio; finalmente, el emperador Enrique, en seguida de incor-

porar Milán a su imperio, llevólos a Colonia, y en esta ciudad, a orillas del Rin, permanecen actualmente, siendo objeto de la reverencia y devoción del pueblo.

CAPÍTULO VIII (X)

LOS INOCENTES

El nombre de *inocentes* conviene a estos santos por tres razones: por las características de su vida, por la pena a que fueron condenados y por la inocencia que conquistaron.

a) Por las características de su vida: Su vida fue inofensiva; jamás hicieron daño a nadie: ni a Dios con desobediencias; ni al prójimo con injusticias; ni a sí mismos con la malicia de ningún pecado. Acertadamente, pues, dice el salmista: «*Los inocentes y los rectos se unieron a mí, etc.*».

b) Por la pena a que fueron condenados, que les fue impuesta sin que hubieran cometido la menor culpa y contra toda justicia: Por eso canta también el salmista: «*Derramaron sangre inocente... etc.*».

c) Por la inocencia que conquistaron, porque mediante su martirio consiguieron la inocencia bautismal, es decir, la liberación de los efectos del pecado original. A esto se refiere igualmente el salmista por medio de esta invocación: «*Conserva mi inocencia, mira mi equidad*»; que es como si dijera: consérvales la inocencia del bautismo, considera la rectitud de su conducta.

1. Los Inocentes fueron degollados por orden de Herodes Ascalonita. La Sagrada Escritura habla de tres Herodes distintos entre sí y famosos los tres por su crueldad. El primero de ellos es el Ascalonita. Durante su reinado nació el Señor y él fue quien mandó asesinar a estos niños. El segundo de estos Herodes llevó el sobrenombre de

Antipas; por orden suya murió degollado san Juan Bautista. El tercero de la serie, Herodes Agripa, decretó la muerte de Santiago y el encarcelamiento de san Pedro.

Las fechorías de los tres están resumidas en estos dos versos:
«El Ascalonita mató a los niños; el Antipas degolló a Juan;
El Agripa mandó asesinar a Santiago y encerró en la cárcel a Pedro».

Repasemos brevemente la biografía del primer Herodes.

En la *Historia Eclesiástica* se lee que Antípater el Idumeo se casó con una sobrina del rey de Arabia, de la que tuvo un hijo al que puso el nombre de Herodes. Posteriormente este Herodes, apellidado Ascalonita, fue nombrado rey de Judea por César Augusto. Él fue también el primero de los reyes de los judíos no oriundos de la tribu de Judá. Tuvo seis hijos que se llamaron Antípater, Alejandro, Aristóbulo, Arquelao, Herodes Antipas y Felipe. A Alejandro y a Aristóbulo, habidos con una mujer judía, envióles a Roma para que estudiaran artes liberales. Alejandro regresó a Jerusalén convertido en gramático, y Aristóbulo volvió transformado en un orador fogoso. Estos dos hermanos tuvieron frecuentes conflictos con su padre por cuestiones sucesorias. Sus ansias por ocupar cuanto antes el trono de Judea moviéronles a intentar asesinar a Herodes, quien, al descubrir sus maquinaciones, nombró heredero suyo a Antípater y a ellos los desterró. Los dos proscritos apelaron a César, fueron a Roma y se quejaron ante el emperador del trato injurioso que habían recibido de su padre. Por entonces llegaron a Jerusalén los Magos, inquiriendo noticias acerca del nacimiento de un nuevo rey. Con esto crecieron las inquietudes y temores de Herodes, que pensó que pudiera tratarse de algún vástago de la verdadera dinastía, cuyos partidarios podrían considerarle a él, a partir de entonces, como rey intruso. Esa fue la causa de que inmediatamente concibiera el plan de matar al recién nacido y de que, simulando que deseaba conocerle y adorarle, encargara a los Magos que, si lo encontraban, volvieran por su palacio a comunicarle dónde estaba. Pero los Magos marcharon a su tierra por otro camino. Herodes, al ver que no regresaban con la noticia, de momento quedó tranquilo, porque supuso que los Magos se habrían convencido de que habían incurrido en un error al interpretar todo aquello de la estrella como un presagio, y que tal vez, avergonzados, hubiesen desistido de proseguir sus averiguaciones; mas poco después, al oír los comentarios que la gente hacía en relación con unos rumores de pastores y unas profecías de Simeón y Ana, sus temores renacieron y empezó a recelar de los Magos y a sospechar que acaso éstos, intencionadamente, no habían regresado a informarle, y se reafirmó en la idea de eliminar al que podía llegar a ser su rival; de ahí que mandara dar muerte a todos los

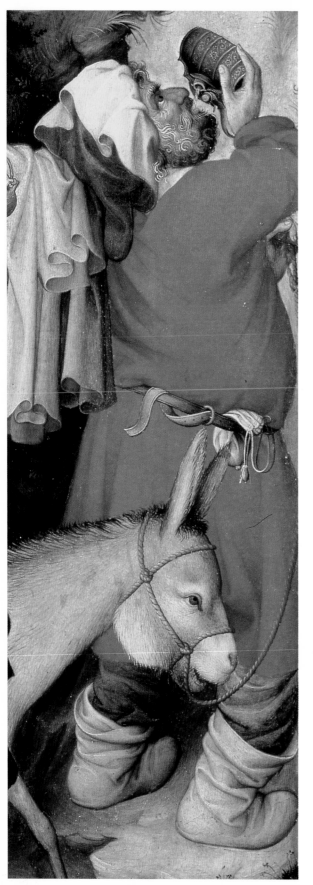

niños nacidos por aquel tiempo en la región de Belén, pues matándolos a todos perecería el que le preocupaba.

2. Estaba Herodes haciendo planes acerca del modo de matar a los niños, cuando recibió una carta del César Augusto, en la que se le ordenaba que acudiese sin demora a Roma a responder de los cargos que sus hijos habían formulado contra él. Al pasar por Tarso se enteró de que los Magos iban de regreso a su tierra a bordo de uno de los barcos surtos en el puerto de aquella ciudad; como no sabía en cuál de ellos, mandó quemar toda la flota. Así se cumplió la profecía del salmista: *«En un arranque de cólera, destruirás los navíos de Tarso»* (Salmos, 6).

En Roma, y en presencia del César, tuvo lugar un careo entre Herodes y sus hijos. Al final del mismo, el emperador determinó que Alejandro y Aristóbulo deberían obedecer a su padre y que éste podía nombrar heredero de su reino a quien quisiere.

Envalentonado por el triunfo obtenido sobre sus hijos ante el César, Herodes regresó a Jerusalén, y nada más llegar mandó matar a todos los niños de la comarca de Belén que tuvieran dos o menos años, fundándose, al determinar esta edad, en cálculos que hizo basados en su conversación con los Magos. La expresión de la Escritura *«a bimatu et infra»*, sin embargo, puede tomarse en dos sentidos, según el significado que demos al vocablo *infra*, que unas veces equivale a «de ahí para abajo», y otras a «de ahí en adelante». Consecuentemente, la frase «*a bimatu et infra*» admite esta doble traducción: *desde los dos años de edad y de ahí para abajo, y desde los dos años de edad y de ahí en adelante.* Si la traducimos de la primera manera, habría que entender que Herodes mandó matar a todos los niños comprendidos entre la edad de un día y la de dos años; así lo entienden la mayor parte de los intérpretes, y así parece que debe ser entendido, sin lugar a dudas, si nos atenemos al supuesto de que los Magos dijeron a Herodes que el niño había nacido el mismo día que ellos vieron la extraña estrella. En este caso, Herodes habría discurrido de este modo: Desde que él salió para Roma hasta su regreso había transcurrido algo más de un año. El niño, por tanto, tendría por lo menos un año y pico de edad: pero como se trataba de un niño especial a quien obedecían los astros, no había que descartar la posibilidad de que su naturaleza fuese también especial y de que por esto o porque pudiese transformar sus apariencias mediante el recurso a artes mágicas, presentase ante los ojos de la gente un aspecto distinto al que correspondía a su edad verdadera. Si hacía perecer a todos cuantos tuvieran dos años y de ahí para abajo, perecería también aquel niño, igual si semejaba tener pocos días o pocas semanas, que si daba la impresión de estar más desarrollado de lo que le correspondía.

Pero como la palabra *infra* significa también *después de..., posterior a...,* la frase «*a bimatu et infra*» puede ser traducida de la segunda manera indi-

cada, o sea, en este sentido: *desde dos años de edad y de ahí en adelante.* Así interpreta tal pasaje san Juan Crisóstomo, quien explica el caso de esta manera: La estrella se apareció a los Magos un año antes de que naciera el Salvador, y así se lo hicieron saber ellos a Herodes; pero éste, en lugar de entender las cosas como los Magos se las dijeron, entendió que el niño ya había nacido cuando ellos vieron la estrella, y, por tanto, que cuando los Magos le visitaron el niño tendría ya aproximadamente un año de edad. Ahora bien, como Herodes invirtió otro año entre su viaje a Roma, y su estancia allí y su regreso a Jerusalén, cuando dio la orden de matar a los inocentes calculó que el que él quería eliminar tendría ya más de dos años. ¿Cuánto más? Eso no lo pudo calcular, y de ahí que, para no errar el golpe, mandara asesinar, no a los que tenían menos de dos años, sino a los que tuviesen de dos años a cinco. Hay un hecho que favorece esta interpretación, y es el de que entre las osamentas de los Inocentes, posteriormente se encontraron restos de huesos tan grandes que no podían corresponder a niños de dos años; aunque a esto podría replicarse que tal vez en aquel tiempo las personas fuesen más corpulentas que las actuales.

No tardó Herodes en pagar las consecuencias de su delito. Dice Marobio y dice también una Crónica, que un hijo del propio Herodes, cuya crianza había sido confiada a una nodriza, fue uno de los que murieron en aquella horrible matanza.

La degollación de los Inocentes fue vaticinada por el profeta, cuando anunció que los llantos y gemidos se oirían en Roma; esto significa que los alaridos de dolor de las madres de los niños degollados llegarían hasta las cumbres del poder, o sea, hasta Roma.

3. No permitió Dios, justísimo juez, que la inicua crueldad de Herodes quedara impune. En la *Historia Eclesiástica* leemos que la justicia divina castigó a quien había dejado sin hijos a tantas madres, privándole a él de los suyos. Por lo pronto concitó en su contra la animadversión de Alejandro y de Aristóbulo, uno de cuyos cómplices manifestó que Alejandro le había prometido gran cantidad de dinero si envenenaba a Herodes. Otro, el barbero del rey, confesó que ambos hermanos habíanle ofrecido enormes recompensas si le segaba la garganta mientras lo estaba afeitando, añadiendo que Alejandro, al animarle para que hiciera esto, le había dicho que no se perdía nada eliminando a aquel viejo que, para parecer más joven, se teñía la barba y el cabello. Cuando Herodes se enteró de lo que sus hijos planeaban, les salió al paso mandando que los mataran a ellos, y, en efecto, los mataron. Había él nombrado heredero suyo a Antípater, pero después cambió de opinión e instituyó por su sucesor a Antipas. La mudanza de las disposiciones sucesorias y la predilección que Herodes mostraba hacia dos hijos de Aristóbulo, Agripa y Herodíades, ésta, esposa de Felipe, llenaron de indignación a

Antípater, quien, movido por el odio que empezó a sentir hacia su padre, intentó envenenarle; pero Herodes, que vigilaba muy de cerca a su hijo, descubrió sus intenciones y lo encerró en un calabozo.

Dícese que cuando el César Augusto tuvo conocimiento de que el rey de Judea había mandado asesinar a Alejandro y a Aristóbulo, hizo este comentario: «Preferiría ser uno de los cerdos de las cochiqueras de Herodes a ser su hijo, porque a sus puercos los cuida y a sus hijos los mata».

4. Setenta años de edad contaba Herodes cuando cayó gravemente enfermo, aquejado de altísimas fiebres, y de dolores tremendos, porque tenía todos sus miembros medio podridos, los pies monstruosamente inflamados y los testículos roídos de gusanos. Su cuerpo exhalaba un hedor insoportable; las dificultades respiratorias producíanle ahogos. Apenas si podía hacer otra cosa más que revolverse en la cama, profiriendo constantes gemidos. Por orden de los médicos, que deseaban proporcionarle algún alivio, administrósele un baño de aceite; pero cuando lo sacaron de la bañera estaba ya medio muerto. No obstante, todavía pudo enterarse de que los judíos esperaban ansiosamente su muerte y pensaban celebrarla con gran regocijo; entonces, pese a la gravísima situación en que se encontraba, mandó encarcelar a todos los jóvenes de las principales familias de Judea, y tras de dar esta orden dijo a su hermana Salomé:

—Sé que los judíos quieren festejar mi muerte, pero si haces cumplir lo que acabo de disponer, ya verás cómo cuando yo muera serán muchos los que lloren y cómo mis exequias estarán rodeadas de un ambiente de dolor cual jamás lo ha habido en la muerte de nadie. Entiende bien lo que te digo: en cuanto yo expire, haz que todos los jóvenes que tengo encerrados en la cárcel sean asesinados; de ese modo todas las familias de Judea llorarán necesariamente.

Solía Herodes tomar como postre, tras de cada comida, una manzana que pelaba por sí mismo con su propia espada. En una de esas ocasiones, cuando se disponía a mondar la fruta con el arma muy cerca de su pecho, fue de pronto acometido por un violento acceso de tos. Sin advertir el peligro que corría de que el acero se le clavara en el corazón, miró a su alrededor, esperando que alguno de los asistentes le socorriera; pero, como nadie le ayudara, hizo ademán de apartar de su costado la mano en que tenía el arma, mas uno de sus parientes se lo impidió, sujetándole el brazo y manteniéndoselo a cierta altura sobre el pecho. Creyendo los demás que se hallaban presentes, que la tos le había ahogado y que acababa de morir, salieron de la estancia y recorrieron el palacio diciendo a voces que el rey había muerto. Sus familiares, según la costumbre, al oír aquella noticia, comenzaron a llorar a gritos; pero Antípater, que se encontraba encerrado en una mazmorra, no pudo contener su gozo y empezó a dar saltos de júbilo y a prometer a sus carceleros que si le dejaban en libertad les concedería grandes mercedes. Herodes, que todavía estaba vivo, al enterarse de esto, sintióse más afligido por la alegría de su hijo que por la inminencia de su propia muerte, e indignado, ordenó a los carceleros que inmediatamente mataran a Antípater, e instituyó como heredero del trono a Arquelao. Después de este episodio aún vivió el rey cinco días, al cabo de los cuales, tras de una vida muy llena de satisfacciones sensuales y de amarguras interiores, expiró.

Salomé no cumplió la orden que su hermano le diera de matar a los prisioneros, sino que los puso inmediatamente en libertad; aunque en esto no todos están de acuerdo, porque Remigio, en un comentario a cierto pasaje de Mateo, dice que Herodes se suicidó, clavándose en el pecho la espada con que se disponía a pelar la manzana, y que Salomé, ateniéndose a las consignas que se le habían dado, acto seguido mandó dar muerte a todos los jóvenes que estaban encarcelados.

APÉNDICE

LA REPRESENTACIÓN
DEL NACIMIENTO
DE NUESTRO SEÑOR
POR
GÓMEZ MANRIQUE

JOSÉ
¡Oh viejo desventurado!
Negra dicha fue la mía
en casarme con María
por quien fuese deshonorado.
Yo la veo bien preñada,
no sé de quién ni de cuánto;
dicen que de Espíritu Santo,
mas yo de esto no sé nada.

MARÍA
¡Mi solo Dios verdadero
cuyo ser es inmovible,
a quien es todo posible,
fácil y bien hacedero!
Tú que sabes la pureza
de la mía virginidad,
alumbra la ceguedad
de José y su simpleza.

El ÁNGEL a José
¡O viejo de muchos días,
con el seso de muy pocos,

el principal de los locos!
¿Tú no sabes que Isaías
dijo: Virgen parirá,
lo cual escribió por esta
doncella gentil, honesta,
cuyo par nunca será?

MARÍA
Adórote, Rey del cielo,
verdadero Dios y hombre;
adoro tu santo nombre,
mi salvación y consuelo;
adórote, hijo y padre,
a quien sin dolor parí,
porque quisiste de mí
hacer de sierva tu madre.
Bien podré decir aquí
aquel salmo glorioso
que dije, hijo precioso,
cuando yo te concebí:
que mi ánima engrandece
a Ti, mi solo Señor,
y en Ti, mi Salvador,

mi espíritu florece.
Mas este mi gran placer
en dolor será tornado;
pues tú eres enviado
para muerte padecer
por salvar los pecadores.
En la cual yo pasaré,
no menguándome la fe,
innumerables dolores.
Pero mi precioso prez,
hijo mío muy querido,
dame tu claro sentido
para tratar tu niñez
con debida reverencia,
y para que tu Pasión
mi femenil corazón
sufra con mucha paciencia.

El ÁNGEL a los pastores
Yo vos denuncio, pastores,
que en Belén es hoy nacido
el Señor de los Señores,
sin pecado concebido;

y porque no lo dudedes,
id al pesebre del buey,
donde cierto hallaredes
al prometido en la ley.

PRIMER PASTOR
Dime tú, hermano, di,
si oíste alguna cosa,
o si viste lo que vi.

EL SEGUNDO
Una gran voz me semeja
de un ángel reluciente
que sonó en mi oreja.

EL TERCERO
Mis oídos han oído
en Belén es esta noche
nuestro salvador nacido;
por ende dejar debemos
nuestros ganados e ir
por ver si lo hallaremos.

Los pastores viendo al glorioso niño

EL CUARTO
Este es el Niño excelente
que nos tiene de salvar;
hermanos, humildamente
le lleguemos adorar.

EL PRIMERO
Dios te salve, glorioso
infante santificado,
por redimir enviado
este mundo trabajoso;
Damos estos grandes loores
por te querer demonstrar
a nos, míseros pastores.

EL SEGUNDO
Sálvete Dios, Niño santo,
enviado por Dios padre,
concebido por tu madre
con amor y con espanto;
alabamos tu grandeza

que en el pueblo de Israel
escogió nuestra simpleza.

EL TERCERO
Dios te salve, Salvador,
hombre que ser Dios creemos;
muchas gracias te hacemos
porque quisiste, Señor,
la nuestra carne vestir,
en la cual muy cruda muerte
has por nos de recibir.

LOS ARCÁNGELES
Gloria al Dios soberano
que reina sobre los cielos,
y paz al linaje humano.

SAN GABRIEL
Dios te salve, Gloriosa,
de los maitines estrella,
después de madre, doncella,
Y antes que hija, esposa;
yo soy venido, Señora,

tu leal embajador,
para ser tu servidor
en aquesta santa hora.

SAN MIGUEL
Yo, Miguel, que vencí
las huestes luciferales,
con los coros celestiales
que son en torno de mí,
por mandado de Dios padre
vengo tener compañía
a ti, beata María,
de tan santo Niño Madre.

SAN RAFAEL
Yo, el ángel Rafael,
capitán de estas cuadrillas,
dejando las altas sillas,
vengo a ser tu doncel;
y por hacerte placeres,
pues tan bien los mereciste,
¡oh, María, mater Criste,
bendita entre las mujeres!

EL NIÑO CON EL CÁLIZ
¡Oh santo Niño nacido
para nuestra redención!
Este cáliz dolorido
de la tu cruda pasión
es necesario que beba
tu sagrada majestad,
por salvar la humanidad.
que fue perdida por Eva.

*EL NIÑO CON EL ASTELO
Y LA SOGA*
Y será en este astelo
tu cuerpo glorificado,
poderoso Rey del cielo,
con estas sogas atado.

EL NIÑO CON LOS AZOTES
Con estos azotes crudos
quebrantarán tus costados
los sayones muy sañudos,
por lavar nuestros pecados.

EL NIÑO CON LA CORONA
Y después que a tu persona
la hieran con disciplinas,
te pondrán esta corona
de dolorosas espinas.

EL NIÑO CON LA CRUZ
En aquesta santa cruz
el tu cuerpo se pondrá;
a la hora no habrá luz
y el templo caerá.

EL NIÑO CON LOS CLAVOS
Con estos clavos, Señor,
te clavarán pies y manos;
grande pasarás dolor
por los míseros humanos.

EL NIÑO CON LA LANZA
Con esta lanza tan cruda
horadarán tu costado,
y será claro sin duda
lo que fue profetizado.

LAS MONJAS
Callad, Hijo Mío.
Callad, vos, Señor,
nuestro Redentor,
que vuestro dolor
durará poquito.
Ángeles del cielo,
venid dar consuelo
a este mozuelo
Jesús tan bonito.
Este fue reparo,
aunque costó caro,
de aquel pueblo amargo
cautivo en Egipto.
Este santo digno,
Niño tan benigno,
por redimir vino
el linaje aflicto.
Cantemos gozosas,
hermanas graciosas,
pues somos esposas
del Jesús bendito.

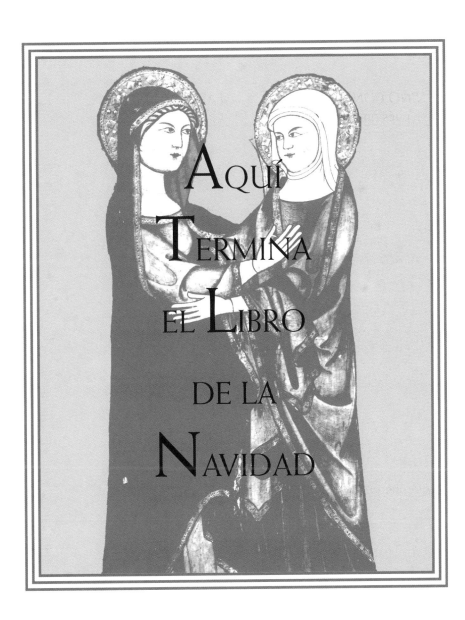

A<small>QUÍ</small>
T<small>ERMINA</small>
<small>EL</small> L<small>IBRO</small>
<small>DE LA</small>
N<small>AVIDAD</small>

ÍNDICE DE ILUSTRACIONES